JN079652

世界の一流ブランド誕生に隠された真実

マット・マクナブ
阿部将大 訳

A SECRET HISTORY OF BRANDS

原書房

世界の一流ブランド誕生に隠された真実

A SECRET HISTORY OF BRANDS:

The Dark and Twisted Beginnings of the Brand Names We Know and Love

by Matt MacNabb

Japanese translation rights arranged with Pen and Sword Books Limited

through Japan UNI Agency, Inc.

誰よりもまず忍耐強く支援してくれた妻のホリーに感謝したい。そして四人の子供、セバスティアン、アナスタシア、アレクサンドル、カリドラにも。あなたたちは私の人生の光だ。

私とこのプロジェクトを信じてくれた、クレア・ホプキンズをはじめとするペン・アンド・ソード・ブックス社のすべてのスタッフにも感謝したい。編集にすばらしい力を発揮してくれたカリン・バーナムにも心からの感謝を。

作家のメアリー・ジョー・イニョフォ、そして最後にＣＢＧネットワークのフィリップ・ミンクスにも衷心（ちゅうしん）からの感謝を捧げる。

目次

はじめに

ブランドは、名前やロゴ、独自の包装、専用マスコットなどとともに発展を遂げる。ブランド名の入った製品は私たちの日常生活やアイデンティティに欠くことのできないものであり、ブランドのない世界など想像できないほどだ。しかし、それほど遠くない昔には、運転する車の種類や身につける衣服、靴のブランドで自分のアイデンティティが決まるなどということはなかった。それが今では、生活のあらゆる面にブランドが溶け込んでいる。こういったブランド製品は、産業革命後にはじめて市場に参入し、ここ一世紀で私たちの日常の一部になったものだ。頭が痛くなったらバイエルの薬剤を、飲み物がほしくなればコカ・コーラを、車を買いに行けばフォードを思い浮かべる。そんな今では当たり前の存在になっているブランドにも当然始まりというものがあった。そして誰もが知っていて愛用しているブランドには、暗くて複雑怪奇、時には暴力をともなう草創期を経験しているものが多いのだ。そういった歴史は、注意深く取捨選択されたシャネルやアディダスの現代の社史を読んでも見つけることはできない。誰もが知っているブランドの実話には、ひどい欠点を持った創始者が登場することもしばしばである。

産業革命以前の人々の生活や産業は、現在とはまったく異なる様相を呈していた。ブランド製品や企業がこの世に現れたのは比較的最近のことなのだ。大量生産と産業化が発展する以前には、人々は自分で生産して生きていくか、地元で生産された製品で生活するしかなかった。アメリカでもヨーロッパでも、社会は地方の農業文化を中心として成り立っていた。首都として発展したロンドンのような都市があったとはいえ、多くの町や村は自給自足の生活を営み、村に住んでいる人は、言わば自宅でパン屋や肉屋、鍛冶屋を兼業していたのである。食物は狩猟で手に入れたり自家栽培したりすることがほとんどで、地方に住む人々は衣服や食物などの商品が欲しくても訪ねていける店などなかった。運がよければ、需要のある品物を他の品物やサービスと交換することもできたが、そういった活動は散発的に行われるだけで、組織的なものはほとんどなかった。そのため、条件が悪ければ栄養不良や飢饉（ききん）が待っていた。フード・バンクやチャリティなどというものは存在せず、自分が住んでいる地域で農作物の不作などの厳しい状況が生じていれば、近所の人も皆同様に苦しんでいることが多かったのである。

この生活様式は、のちに独立してアメリカ合衆国の礎（いしずえ）となる一三植民地への定住が始まった一七世紀に、アメリカ大陸にもそのまま移入された。海を隔てて依然としてイギリス王室が支配権を握っていたとはいえ、一三植民地では自治が行われ、地主たちが投票する選挙によって現地を統率する地方議員や知事が選ばれた。「新世界」での生活は、文字通り新たな始まりだった。建物も都市も道路もなかった。存在するのは、未開の土地とアメリカ先住民だけだった。

この生活様式は、イギリスで産業革命が始まるとすぐに変化していった。ある地域が産業化の中心地になるには、いくつかの要件がある。一八、一九世紀には、石炭や鉄鉱石などの豊富な自然資源に大きな需要があった。他の原料も必要とされたが、世界中に広大な植民地システムを持っている国であれば、さまざまな原料を簡単に採掘して輸入することができた。当時そうするのに最もふさわしい条件を備えていたのがイギリスであり、したがってイギリスが大産業の誕生の地となったのは当然のことだった。一八世紀のイギリスでは、繊維工業と製鉄業で大きな変革が起こった。

イギリスの繊維市場の中心をなしていたのは、家内工業だった。当時、「大量」生産で最善の結果を得るために、仕事を預かった職人が自分の家で好きな時間にそれを完成させるという体制がとられていた。このような非組織的できちんとした監査体制のない生産方法で運営されていたため、繊維業界は、納期が守られなかったり、きちんとした製品が納入されなかったりといった事態に悩まされていた。それでも、機械化が行われるまでは、これが最も効率的な最善の生産方法だったのである。一七六四年、織工・発明家のジェームズ・ハーグリーヴスが「ジェニー紡績機」と呼ばれる紡績機を開発した。この発明は、ジョン・ケイが一七三三年に導入した飛び杼(ひ)の副産物とも言えるものだった。飛び杼によって織布を大規模に行うことが可能になったが、この装置は機械に取り付けて自動化することができたため、職を失うことを恐れた当時の織工たちから激しい抵抗を受けた。結局飛び杼は二倍の生産性を実現し、その結果、織り糸の需要が高まった。この需要に応えるべく発明されたのがジェニー紡績機（「ジェニー」とはエンジンを表すラングだった）だった。この機械のおかげで、職人は一度に複数の糸巻を扱うことが可能になり、これまでよりはるかに大きな生産量を生み出すことができるようになった。一七八〇年ごろにケイが亡くなったときには、イングランド中で二万以上のジェニー紡績機が稼働していた。同じころ、発明家のサミュエル・クロンプトンが「ミュール・ジェニー」を開発、これはのちに「ミュール紡績機」と呼ばれることになる。従来の発明品を改良したこの紡績機は、綿などの繊維を強くて薄い糸に紡いでいく機械で、ランカシャーだけでなんと五〇〇〇万台以上のミュール紡績機が使われていた。これらの繊維工業の発展が、一七八〇年代のエドマンド・カートライトによる「力織機」の発明につながった。

製鉄業に革命を起こしたのは、イギリス人のエイブラハム・ダービーだった。当時、鉄鉱石から鉄を取り出すための溶鉱炉を稼働させるには木炭に頼らざるをえなかったが、木炭は木が原料であるため、その生産量は当然、木の生長速度に完全に左右される。製鉄業に木炭を供給するために急速な森林破壊が行われ始め、より持続可能な新燃料源が求められるようになった。そんなときに、コークスを主要な原料として利用するシステムを開発したのがダービーだったのだ。コークスとは、自然そのものの石炭ではなく、石炭を精製した結果得られる燃料源である。一七〇九年、ダービーの溶鉱炉でコークスによる鉄鉱石製錬が導入された。産業革命の大きな要因の一つは鉄が安価で大量に利用できるようになったことだが、その大部分はダービーの革新のおかげだった。

繊維工業と製鉄業の近代化は産業革命に大きな影響を与えたが、真の意味で産業革命を促進したのは蒸気機関の利用である。一七一二年、イギリス人の金物商、トーマス・ニューコメンが世界初の商業用蒸気機関となる大気圧機関を導入した。当時、炭鉱やスズ鉱山に水があふれることが、安全性、生産性の両面で懸念事項となっており、その水を鉱山から排出するために開発されたのが大気圧機関だった。蒸気機関はその後、もっと大きな機械や列車、船の動力として利用されることになる。一七八一年には、ジェームズ・ワットがニューコメンの蒸気機関を改良し、一〇馬力の連続回転式エンジンを開発した。

世界を産業化へと推し進めたのは鉄道である。鉄道網の最初の試みが実現したのは、一八〇三年に蒸気機関車が登場したときだ。世界初の鉄道蒸気機関車を製造・実現化したのは、イギリスのすぐれた機械技術者・発明家であるリチャード・トレヴィシックだった。この若き技術者は、より高い教育を受けた他の技術者たちがもてあましている問題を特定して解決する才能を持っていた。まさにこの分野にうってつけの人材であり、彼の革新が、人々の移動方法や物品の輸送方法を変えることになった。蒸気機関車の登場以前の輸送と言えば、馬や馬車の利用が一般的だったが、これらはきわめて頼りない輸送手段で、しかも遅かった。ワットのモデルの半分の経費ですむトレヴィシックの蒸気機関は、すぐに市場を支配し、時代遅れのワットの蒸気機関を過去のものとした。

一八六三年から一八六九年にかけて、アメリカでは大陸横断鉄道が建設された。この鉄道の完成を記念する杭（「ゴールデン・スパイク」と呼ばれることになる）は、一八六九年五月一〇日、ユタ州のプロモントリー・ポイントで、セントラル・パシフィック鉄道会社社長のリーランド・スタンフォードによって打ち込まれた。こうしてアメリカ合衆国の東海岸と西海岸がはじめて結ばれ、中西部の大平原を横断する輸送も安全になり、合衆国の広大な土地で製品を迅速に運ぶことが可能になった。

ブランド名の誕生

産業化される以前の世界では、ブランド名のついた商品は珍しいものだったが、存在していなかったわけではない。たとえば、家畜に焼き印を押す習慣は古代から行われてきた。ただし、これは、商品の質の高さを誇るためというより、自分の家畜を他人のものと区別するという実際的な目的のために行われたものである。brandという言葉は、「焼く」を意味するスカンジナヴィアの古ノルド語のbrandrに由来する。古代には生産者が商品に自分の記号やマークを焼き入れる習慣があり、そこからこの言葉の意味へと派生したのだ。

芸術家や職人が自分の作品にサインしたりブランド名を入れたりするという考え方は、紀元一世紀にさかのぼる。エニオンという名の職人は、歴史上知られている最初のガラス吹き職人であるばかりか、知られているかぎり最初のブランドでもある。エニオンは作品に署名を記しただけでなく、作品の底に文章も刻みつけた。ギリシャ語で「エニオンが私を作った」という意味の文章だ。時代が下ると、世代を超えて続くブランドという考えが登場し始める。たとえば、ベルギーのビール会社、ステラ・アルトワは、一三六六年の創業以来、ほとんど変わらないロゴとブランド名を使い続けている。それから数世紀にわたっていくつかのブランドが登場したが、この期間に誕生して今日なお生き残っているものはほとんど存在しない。今日私たちが知っているブランドの大部分は、一九世紀か二〇世紀に創業したものである。

産業革命時代に大量生産のブランドという概念が登場すると、企業はついに自社製品を長距離輸送して新たな市場に参入することが可能になった。この展開で大きな問題となったのは、どうすれば地元以外で作られた製品を人々に信頼して試してもらえるかということだった。これ以前、大半の製品は地元で生産され、消費者はその製造者を知っていることが多かった。どんなに小さな村や町の人々でも、地元のものに価値を見出すという現象は、今日でも広く見られるものだ。

通信販売カタログの登場もまた、市場に変革をもたらした。カタログはどんな時代にも利用され、特に出版社がさまざまな本を購入者に知らせる用途で使われることが多かったが、カタログ産業が真に盛んになったのは一九世紀のことだ。アメリカ合衆国初の通信販売カタログは、一八四五年にティファニーが発送したものである。一八七二年にモンゴメリー・ワードがその範に倣い、一八八八年にはシアーズも続いた。腕時計や衣料、スポーツ用品から自動車、そして家に至るまであらゆる製品をカタログから選べることは、アメリカ文化に欠かせない魅力的な特徴になった。全国に製品を輸送できるようになったことで、地方に本拠を置く会社も成長しやすくなった。小売店がブランド化することも多くなり、その好例がシアーズの住宅販売である。シアーズ・ローバック社は、一九〇八年から一九四〇年にかけて、通信販売カタログによって組み立て式住宅を七万軒以上売ることに成功した。

カタログと同時に始まったブランドの隆盛は、地産地消という考え方がすたれ始め、全国の、さらには国際的な製品市場が形成され始めるとさらに拡大していった。市場にはとんでもない効果を謳（うた）うさまざまな製品があふれ、その自己宣伝はきちんとした根拠にもとづくものもあったが、多くは根拠のないものだった。信頼できる製品にしたければ、他の平凡な製品と異なる特徴を伝えなければならない。地方の消費者の信頼を得る必要に迫られた企業は、ブランド名と広告によってその信頼を築き始めた。コカ・コーラを手にすれば毎回まったく同じ品質のものが得られるという消費者の安心感こそ、今日の大企業の基礎をなすものなのだ。現在では、こういった大企業は冷淡で顔の見えない非人間的な存在とみなされているが、創業者の多くは、競争の激しい市場でなんとか製品の地位を確保しようと悪戦苦闘していたのである。

現代の大企業はすべて、ミッション・ステートメントや「社風」なるものを持ち、社内外のやりとりにおいて自社の行動が一定のレベルに保たれるよう努めている。スキャンダルや汚名を残すような行動を最小限にとどめ、ビジネスの要となっている愛されるブランド名に傷がつかないよう、抑制と均衡の体制がとられているのだ。しかし、そのような指針がなかった過去には、バイエルはナチスと提携し、ヘンリー・フォードは過激な反ユダヤ主義的記事を発表して広めていた。今日、企業はそういった暗い過去をなかったことにしようとしているが、不都合な真実も調査して理解するのが歴史研究である。本書は、見過ごされることの多いブランドの歴史の隠された真実を伝えることを目的として書かれたものだが、こういった企業や従業員の多くが現在作り上げている立派な社風に疑いをさしはさんだり、否定したりしようとする意図はないことをお断りしておく。

本書では、今日私たちがよく知って愛好している主要ブランドの創業者たちの人となりが語られるが、そこでは、倫理的に問題があったり、常識とかけ離れていたり、そして時には唾棄すべき行動も描かれることになる。これは、ブランド品を生産している現在の企業の姿を反映したものではないことをあらためてお断りしておく。こういった企業の多くは何世代も前に創業しており、創業者はすでにこの世の人ではない。現在の経営者たちはたいてい慈善事業に積極的で、プロとしてすばらしい成果を上げており、物議をかもす創業時の過去とは一切関係がないのだから。

1章 コカ・コーラ ドラッグまみれの飲み物

今日、コカ・コーラはアメリカを象徴するおいしい飲み物として知られている。しかし、この人気の炭酸飲料にはちょっとうさんくさい過去がある。コカ・コーラは世界一売れているソフトドリンクで、世界の人々に団結と愛を届けるという現代的なイメージを持っている。そうであればこそなおさら、アメリカが分断して争った南北戦争がなければコカ・コーラは誕生しなかったかもしれないというのは興味深い事実だ。しかも、その創業者は、エイブラハム・リンカーンが率いて勝利を収めた北軍ではなく、奴隷制の存続を擁護する側に立った南部連合のために戦ったのである。

コカ・コーラという名は、この会社の最初のソフトドリンクにコカインの成分が含まれていたことからついたのだという、長年にわたる都市伝説がある。コカ・コーラ社は、自社の飲み物にかつてコカインが含まれていたことを公式に否認している。実際、公式ホームページに掲載されている社史は、この物議をかもしている話題に一切触れることなくお茶を濁している。コカ・コーラには実際にコカインが含まれていたのだろうか、それとも誤ったうわさが根強く残っているにすぎないのだろうか。また、アメリカの禁酒法とコカ・コーラの始まりにはどんな関係があるのだろうか。アメリカのアイコンともいうべきコカ・コーラの長く奇妙な歴史をひもといてみよう。

ジョン・スティス・ペンバートンの生涯

コカ・コーラを作ったのは、ジョン・スティス・ペンバートンという男だ。一八三一年七月八日、ジョージア州ノックスヴィルに生まれ、若いころは、両親のジェームズとマーサとともに、同じジョージア州のロームで過ごした。幼年時代についてはほとんど知られていないが、野心にあふれた若者で、薬理学の深い知識を持っていたことはわかっている。ペンバートンは、メーコンのリフォーム・メディカル・カレッジ・オブ・ジョージアで医学を研究し、薬理学を専門的に学んだ。一九歳で「トムソニアン・システム」として知られる代替医療の「スチーム・ドクター」の資格を得た。トムソニアン・システムとは、サミュエル・トムソンという人物によって開発された療法である。トムソンは、妻が従来型の医療による治療で命を落としかけたことをきっかけに伝統的な医師に不信感を持つようになり、植物学の知識を使って植物療法を開発した。彼は、当時の最新医療は「毒」だと考えており、自らの療法のほうがはるかにすぐれたものだと信じていた。スチーム・ドクターというのは、スチームバスから生まれる熱と植物療法を利用して患者の治療にあたった医師のことである。

ペンバートンはスチーム・ドクターとしてたいした名声を得ることはなく、一二年間医業にたずさわったあと、一八六一年に南部連合軍に入隊し、南部の大義のために従軍した。南北戦争で

ジョン・スティス・ペンバートンの肖像
（作者不詳、出典：クリエイティブ・コモンズ）

は四年にわたって激しい戦いが繰り広げられ、民間人を含めると一〇〇万人近くのアメリカ人が死亡した。南北戦争のきっかけは、奴隷制をめぐる南北の対立だ。北部は、南部連合がアメリカ合衆国の西部にまで奴隷制を拡大するのを防ごうとしたが、当時、南部は奴隷に依存することで経済の安定を得ていたため、その成長が制限されることを快く思わなかった。南部に樹立された連合政府は、自治を目指して合衆国から離脱しようとしたが、結局北軍が勝利を収めてそれはかなわなかった。南軍の陸軍中佐だったジョン・ペンバートンは、この南北戦争のコロンバスの戦いで重傷を負った。

ペンバートンは戦闘中にサーベルによって胸に深い切り傷を負い、その後もひどい痛みに苦しむことになる。当時普通に使われていた鎮痛薬はモルヒネで、ペンバートンもそれによって痛みを鎮めようとしたが、その結果、当時の他の多くの人々が経験したことを彼も経験することになった――ひどい苦しみをともなう深刻なモルヒネ依存症である。自らを医学の男と自負していたペンバートンは、自分を、そして他の人々をモルヒネ依存症から救う奇跡の飲み物を作り出そうと心に誓った。モルヒネはきわめて強力であるため、使用者は数回投薬しただけで依存症になってしまう。私たちが今日愛飲しているおいしいコーラの発祥には、このような出来事の連鎖があったのだ。

ペンバートンのフレンチ・ワイン・コカ

時代は下って一八八六年、世界は産業革命のただなかにあり、急速に変化しつつあった。自由の女神の巨大な銅像が公式にニューヨーク湾のリバティ島に贈呈され、サー・アーサー・コナン・ドイルが最初のシャーロック・ホームズもののミステリーを執筆したのと同じ年、世界初のコーラが、ジョージア州出身の勤勉な薬剤師によって発明されることになる。

ジョン・〝ドク〟・ペンバートンは発明者になろうと決意し、染髪剤や丸薬、万能薬などあら

PEMBERTON'S
The WORLDS
Great Nerve
TONIC
ERYTHROXYLON COCA PLANT.
FRENCH WINE COCA
The wonderful Invigorator and EXHILARINE, to impart Health, Strength and Vigor to Mind and Body. The Ideal Nerve Tonic and Intellectual Beverage, highly endorsed by the elite of the Medical Profession; for the cure and prevention of Mental and Physical Exhaustion, Chronic and Wasting Diseases, Dyspepsia, Kidney and Liver Affections, Heart Disease, Melancholia, Hysteria, Neuralgia, Sick Headache, Throat and Lung Affections, Tired Feelings, etc. This marvelous Tonic acts like a charm. For Convalescents and Invalids this delightful Invigorant is the sine-qua-non. The Invigorating and Strength-restoring properties of French Wine Coca are truly wonderful and excel all other Tonics and Stimulants. One trial will charm and excite your enthusiasm. For sale by Druggists. Send for Book on Coca, and Pemberton's Wine Coca. Price, $1.00 per bottle.
J. S. PEMBERTON & CO., M'f'g Chemists, Atlanta, Ga.
For sale, wholesale and retail, by HILL BROS., Andseron, S. C.

ペンバートンのフレンチ・ワイン・コカの新聞広告

ゆる製品の開発にあたったが、すべて失敗した。しかし、彼は失敗が続いてもたゆまぬ努力を続けた。この当時、南部では南北戦争後の再建が進み、「新たな南部」というスローガンが人気を博しつつあった。南部の人々は過去のあやまちを乗り越え、北部で起こっている産業・経済の上昇気流に乗っかろうとしていたのである。ドク・ペンバートンは新しい進歩の時代に自分も便乗したいと思っていた。

一八八五年、ペンバートンは、自ら経営するジョージア州コロンバスのドラッグストア、ペンバートンズ・イーグル・ドラッグ・アンド・ケミカル・ハウスで「ペンバートンのフレンチ・ワイン・コカ」を作り出し、はじめて成功と呼べるものを手に入れた。

コカインは一九世紀の特効薬だった。効果てきめんだと広く信じられていたため、コカインが混じった製品を目にすることは珍しくなかった。患者に適用可能な選択肢としてコカイン療法をおおっぴらに擁護したことで知られるのが、ジークムント・フロイトである。フロイトは、コカインを心身のさまざまな不調に効くすばらしい薬だと考えていた。コカインに対する反発が大衆の間で広まると、フロイトはコカインを推奨したことで非難を浴びることになるが、それでも過去の見解を改めることはなかった。

ペンバートンがフレンチ・ワイン・コカのヒントを得たのは、アンジェロ・マリアーニが作った「マリアーニ・ワイン」である。マリアーニはコルシカ島出身の化学者で、一八六三年にこの飲み物を発明した。赤ワインにかなりの量のコカインを混ぜたマリアーニ・ワインはすぐに大人気となった。当時、ヨーロッパではコカインは完全に合法であり、健康的に活力を増強してくれるものだと考えられていたのだ。マリアーニ・ワインにはさらに人々を魅惑する点があった。コカインとアルコールが人間の体内で混じり合うと、コカエチレンと呼ばれる第三の化合物が作り出され、コカインもしくはアルコール単独で作り出されるよりはるかに大きな高揚感が得られるのである。

ペンバートンがフレンチ・ワイン・コカを売り出した方法は、ヴィクトリア時代に「スネーク・オイル」売りが採用したのと同じものだった。フレンチ・ワイン・コカは、「世界最高の神経強壮薬」として宣伝されたのである。この飲み物は、ほとんどあらゆる病に効く万能薬で、「超一流の医療関係者からも絶賛されている」と謳われた。心身の疲労、慢性疾患、消耗性疾患、消化不良、腎臓病、肝臓病、心臓病、憂鬱症、ヒステリー、神経痛、片頭痛、のどの痛み、肺病、不眠、意気消沈、倦怠感に効くものとして売り込まれたのである。「本当にすばらしい」「回復力を持つ」ものと言われたが、一瓶一ドル（現在の貨幣価値に換算すると一瓶二〇ドル程度）と高額であったことを考えれば、そのくらいの効果はあって当然だろう。なんでも治せる万能薬にしては大安売りだと言ってもいいくらいである。

では、ペンバートンのフレンチ・ワイン・コカは具体的にどのような飲み物だったのかと言えば、コーラの実とダミアナ、コカ、そしてもちろんアルコールを混ぜ合わせたものだった。コーラの実（のちに「コーラ」という名の由来となった）には、一定濃度のカフェインが含まれている。ダミアナは不安解消の効果があるとされる低木だが、その効果が実証されているわけではない。コカとは、南米原産のコカノキという植物だ。コカノキの葉には、わずかながら天然のコカインが含まれている。一枚の葉につき〇・二五パーセントから〇・七七パーセントときわめて少量であるため、葉を噛んだり煎じたりするだけではコカインの効果を十分経験することができない。したがってコカの葉を煎じた飲み物を口にしても高揚感は得られないのだが、それでも、コカの葉自体は、骨折の痛みや陣痛、頭痛、リウマチ、潰瘍の軽減などのさまざまな治療目的に利用されている。コカの葉に含まれるアルカロイドの持つ高揚感の効果を引き出すためには、化学抽出の手順が必要となる。ペンバートンはコカの葉にこの手順を適用してコカワインを作り出したのである。

コカワインの効果は、たとえばコカインを鼻から吸引するのとはまったく異なるものだ。えも言われぬ高揚感が長く続き、三〇分あるいは四五分ごとに再び吸入する必要はない。コカワインの形でも性的興奮の効果は残っており、ペンバートン自身、コカワインは「性機能を驚くほど増進してくれる」と誇っていたと言われている。

禁酒運動

しかし、ペンバートンの驚異のアルコール飲料はすぐに反発を受けることになる。彼は依然としてジョージア州に本拠を置いていたが、ジョージア州は、一八八五年、州内の各郡が投票によって禁酒法を施行することを許可する法律を可決したのである。ジョージア州では、一八八〇年以来、女性キリスト教禁酒連合（WCTU）が活動を行っており、禁酒運動が盛んだった。WCTUはその後、一九二〇年にアメリカ全土で禁酒法が施行されるのに大いに貢献することになる。

禁酒運動が山火事のように勢力を広げる中、ジョージア州でも多くの郡が禁酒法を施行、ペンバートンは破産寸前にまで追い込まれた。しかし、ここで彼はピンチをチャンスに変える。コカワインからアルコール成分を除去するか、異なる飲料を開発するかという難しい選択を迫られたペンバートンは、フレンチ・ワイン・コカを捨てることを選んだ。

コカ・コーラ社の公式ホームページでは、コカ・コーラ発明の経緯は以下のように説明されている。フレーバーのついたシロップを作ったペンバートンが、近所のジェイコブ薬局に持っていき、それを炭酸水と混ぜた、というのだ。この公式見解によれば、コカ・コーラはペンバートンの「単なる好奇心」から生まれたにすぎないということになる。しかし、この説明は、一八八六年の一連の出来事をかなりはしょっている。実際には、ペンバートンが新たなコカイン入り飲料を開発した理由は、地元で禁酒法が施行されたためにコカイン入りのアルコール飲料を売る商売を急遽やめざるをえなくなったことであり、それ以外ではないのである。

コカ・コーラの起源

コカ・コーラの未来は、ペンバートンがフランク・ロビンソンに出会ったことによって大きく変わった。フランク・M・ロビンソンは南北戦争の退役軍人で、かつては北軍側について戦った兵士だった。数十年前には敵味方に分かれて戦い、お互い殺し合っていたかもしれないこの二人が、今や協力して歴史を作ることになったのである。ペンバートンの飲料が必要としていた一押しを実現したのが、ロビンソンのすぐれた広告と販促だった。ドク・ペンバートンは、商品を作ることには長けていたが、市場に影響を与えるほど売り出すためには何をすればいいかという点については、皆目見当がつかなかった。

ペンバートンは、成長する市場で挑戦したいと思い、アトランタに移住していた。他の商品とは一線を画すようなものを開発したいと考えたペンバートンは、アトランタの自宅の地下室に研究室を建設して研究を重ね、試作品のサンプルを地元のジェイコブ薬局に送り続けた。実際に売れるものを必死に求めてさまざまな組み合わせを試す日々が続いたが、やがて、消費者の反応から、とてもおいしい商品を作り出せたと確信する日がやってきた。ついに、唯一無二の商品の開発に成功したのだ。その商品こそ、飲料としての最初のコーラである。そのときの状況を思い描くには、今日私たちが愛飲している炭酸飲料が一つもない世界を想像しなければならない。一八八六年五月八日、「コカ・コーラ」が誕生した。これほどおいしい飲み物をはじめて味わったときには、天にも昇る気がしたにちがいない。

コーラの製造法を手にしたペンバートンとロビンソンだったが、今度はその製品を実際に消費者の手に渡さなければならない。まずは名称とロゴが必要になる。ロビンソンが「コカ・コーラ」という名を発案し、手描きで美しいロゴを記した。ここに歴史が生まれたのだ。今日に至るまで、コカ・コーラは、このときにロビンソンが記した手描きのものをもとにしたロゴを使用している。ロビンソンは、コカ・コーラを売り出すにはすぐれた戦略が必要だとわかっていたが、そこに都合よく登場したのが禁酒運動だった。皮肉にも、かつてペンバートンが発明した商品の息の根を止めた禁酒運動が、彼の最新の発明品の売上を押し上げて大成功を収めさせるうってつけの土壌となったのである。

コカ・コーラの売上に大きく貢献したのがソーダ・ファウンテンだった。この楽しく心浮き立つ場所では、アイスクリームや、ミネラルウォーターをはじめとするさまざまな飲料が売られており、人々は友人たちとくつろいで過ごすことができた。禁酒運動が始まると、ソーダ・ファウンテンはジョージア州の各地で大人気となった。バーや居酒屋に入ることは違法として禁じられ、実際、アルコールを提供する店は一八八五年にはすべて閉店していた。代わって文化的拠点となったのがソーダ・ファウンテンで、友人たちが集まって時勢や政治、文化を論じ合う場となったのである。男女関係なく人が集まるソーダ・ファウンテンは、新しい刺激的な飲料が飛ぶように売れる大規模な市場になった。コカ・コーラはこのソーダ・ファウンテンに消費者を見出したのである。

一八八六年五月二九日、コカ・コーラの最初の広告が『アトランタ・ジャーナル』誌に掲載された。帽子屋や写真家の広告の下で目立たないものになっているが、そこには「コカ・コーラ、おいしく！　さわやか！　軽やかに！　元気はつらつ！　ソーダ・ファウンテンで人気、妙(たえ)なるコカノキと有名なコーラの実の成分を含む新製品飲料」と記されている。初年度、ペンバートンはコカ・コーラの生産・販売に総額七六ドルの経費をかけたが、その結果、二五ガロン（約九五リットル）を売り上げ、利益は五〇ドルだった。この数字は大成功と呼べるものではない。初年度に借金を負うことになったペンバートンは、やがて体調を崩し、寝たきりの生活を送ることになる。この時期、コカ・コーラは完全に消えてなくなってもおかしくない状況だった。ペンバートンは依然としてモルヒネ依存症で、モルヒネ代もかなりかさんだ。彼は製造法の諸権利を売り始め、一八八八年、エイサ・キャンドラーにコカ・コーラの特許を売却した。胃癌を発症したペンバートンは、一八八八年八月一六日、五七歳で亡くなった。遺体は故郷のジョージア州コロンバスに葬られ、墓石には南部連合の旗が刻まれた。ペンバートンは成功を求めて悪戦苦闘したが、いつも完全な成功にまで至らなかったのは、モルヒネ依存症の影響があったのかもしれない。ペンバートンは自らの発明品の真の成功を見届けるほど長生きすることができなかったが、彼が長

コカ・コーラのヴィンテージ広告

生きしてコカ・コーラの経営を続けていたら、これほどの成功を収めていたかは疑問だ。

一八八八年にコカ・コーラの特許を買い取ったエイサ・キャンドラーは、この飲み物を成功の次の段階へと導いた。実際、キャンドラーはコカ・コーラを失敗から救った恩人と言ってもいいだろう。キャンドラーは、若いころ、職を求めてペンバートンのもとを訪れたこともあったが、そのときは門前払いをくらった。その後、機転の利くビジネスマンとなったキャンドラーは、薬剤師として成功し、自ら薬局を開いて大きな成功を収めた。ただ、その薬局には清涼飲料水の売り場となるソーダ・ファウンテンがなかったため、コカ・コーラの買収を持ちかけられたとき、彼は当初難色を示した。ところが、実際にコカ・コーラを試飲するやいなや、買収を即断した。これは歴史上最も重要なコーラの試飲だったと言ってよいだろう。キャンドラーは、正しいマーケティングを行えばコカ・コーラは全国で飲まれる商品になりえると確信し、そしてその確信は正しかった。コカ・コーラの価値を信じた彼は、この飲料を流通させるためのあらゆる権利を買い取った。製造販売権を独占するために使ったお金はおよそ二三〇〇ドルにおよぶ。キャンドラーはコカ・コーラの将来性に賭け、積極的なマーケティングを始めた。

キャンドラーはコカ・コーラ以外の製品の販売権も所有しており、その一つである歯磨き「デ・レック・タ・ラーヴェ」もコカ・コーラと同時に販促をしたが、コーラのほうが成功しそうなことは明らかだった。キャンドラーは、コカ・コーラを一杯でも飲んでもらえたら顧客にそのよさが伝わると信じ、この飲み物は唯一無二のもので、ぜひとも飲まなければならない、とアメリカ中の人々を説得しようと決意した。初期の販促は巡回販売員によって行われ、彼らは特別クーポン券を持ち歩いて人々に渡して回った。そのクーポンには、「この券があれば、コカ・コーラを扱うソーダ・ファウンテンでコーラを一杯お飲みになれます」と書かれていた。クーポン券を切り離せるちらしも配られた。無料でサンプルを試せるクーポン券など、マーケティングの常道のように思われるかもしれないが、キャンドラーがこの戦略を実践した当時は、先駆的な試みだった。ほかにも、「コカ・コーラ――体力回復・維持に効果的。ショッピングに疲れたらコカ・コーラを一杯どうぞ。元気が回復します」と書かれた処方箋を模した広告で女性客を取り込もうとする試みも行われた。キャンドラーは、コーラが疲労回復に効果的だという考えを何年にもわたって利用した。無料クーポン券により、一八九五年だけで七七〇〇ドル相当のコーラが試飲された。コカ・コーラ一五万四〇〇〇杯分にあたる量だ。売上は伸び始めたが、キャンドラーはマーケティング戦略に工夫を重ねなければならなかった――お金を払ってくれる顧客も必要なのだから。

キャンドラーは、これまた今日でもおなじみのマーケティング手法を開拓することになる。コカ・コーラ社のロゴを、ポスターやカレンダー、ノート、しおりといったあらゆる日用品に組み込んだのである。いつでもどこでも製品の名が顧客の目に入るように、という狙いからだった。

この戦略は大成功し、当時のさまざまなロゴ入り製品が今日に至るまでコレクター・アイテムになっているほどだ。コカ・コーラはまたたくまに国民的な飲み物となり、市場で確固たる地位を確立したのである。

コカ・コーラとコカイン

コカ・コーラが誕生したのは、イギリスで言えばヴィクトリア朝、薬にあやしげな成分が含まれているにもかかわらず、実用的なものから信じがたいものまで、あらゆる効用を自己宣伝しているような時代だった。コカ・コーラも例外ではなかった。この飲み物は当初、「頭がよくなる飲料」としてマーケティングされ、その後も、ペンバートンのフレンチ・ワイン・コカ同様、「強力な強壮剤」や「神経興奮剤」などと宣伝されたのである。

やがて、コカイン依存症に苦しむ人々が増えていることが知れ渡ると、世間はコカの葉を含む製品に疑惑の目を向け始めた。一八九一年には、アトランタの『コンスティテューション』紙に「思慮深い市民」なる人物が次のような記事を寄稿している。

薬局やソーダ・ファウンテンでは、「コカ・コーラ」と呼ばれるものを大量に販売している。

緊張感や疲労感などを軽減すると言われ、一日一〇回飲む人もいるらしい。ある医師によれば、コカ・コーラがこれほど人気を博しているのはコカインのためだという。この飲み物に人々の体に影響を与える量のコカインが含まれているのは明らかで、知らぬうちに何千もの人々をコカイン依存症に追い込んでいるにちがいない。コカイン依存症はアルコール依存症の一〇倍、モルヒネ依存症と同程度のひどい症状を呈する。おそろしい麻薬であり、その依存症患者は奴隷同然である。私自身、そういった例を目撃してきたのだ！

当時はまだ産業革命直後、大きな革新と変化が進行中の時代で、製品は売上数が最も重視された。コカ・コーラはやがて、ジョージア州の薬局やソーダ・ファウンテンばかりでなく、全米で入手できるようになった。一八九九年に、コカ・コーラ社が販売方法をソーダ・ファウンテンから大量生産の瓶詰方式に移行し始めたのだ。これによってはじめて白人以外の人々にもコーラが手に入るようになった。ソーダ・ファウンテンはかつて、他の多くの場所同様、白人だけが立ち入れる場所だったのである。

ただし、販売方式の変更は、すべての人種にコーラを売ろうとする意図によるものではなく、ただ単に事業を全国的に拡大したかったからにすぎない。コカインがらみの反発は予想外だったとはいえ、深刻なものだった。「コカインづけの黒人」のニュースが新聞の報道によって全国に広まったのだ。『ジャーナル・オブ・ジ・アメリカン・メディカル・アソシエーション』誌の論説はこう記している。「南部の一部の黒人は、新たな悪徳にふけっているという。『コカイン吸引』あるいは『コカイン依存症』だ」。記事はさらに、「ケンタッキーの黒人」について述べ、コカイン依存症がケンタッキー内にとどまることを願う、と記している。一部の地域では、医療目的以外で医師が患者にコカインを処方することを非合法化した、という話も語られている。

コカインに対する反発の大部分は人種差別とからんだものであり、それは「ハリソン麻薬税法」のような麻薬取締法が施行されたことに如実に表れている。コカ・コーラ社がコーラから麻薬の痕跡を完全に除去するに至った背景には、アメリカ合衆国におけるこのような人種差別的なコカイン撲滅運動があったのだ。

一九〇八年、ハミルトン・ライト医師がアメリカの初代アヘン検査官になり、一九〇九年二月に上海アヘン会議に出席して詳細な報告を行った。そこでは、アヘンがアメリカで慢性的に使用されていることが報告されただけでなく、コカインの問題点も強調された。「労働者階級の黒人の間でコカインの使用が珍しいものではなくなっていることは明らかだ」と述べたあと、ライトはこう続けている。

一般的に、この階級の黒人は、何かを求めて遠くへ行ったり人を遣わしたりといったことはしない傾向にある。したがって、彼らがコカイン依存症になっていることが知られている地域においては、麻薬は、ニューヨークをはじめとする製造地の北部の州から直接持ち込まれたものであることは明らかだ。

コカ・コーラのヴィンテージ広告（1911年ごろ）

ハリソン麻薬税法は、「内国税収入の徴収者に関して、アヘンやコカの葉、その粉末、派生物、調合薬などの生産、輸入、製造、化合、調合、分配、売却、流通、提供にたずさわるあらゆる人間を規制し、特別税を課す法」である。「麻薬」という言葉が使われていることにも明らかなように、この法は、アヘンのみならず、コカインへの高まる懸念にも対応したものだった。さらに、医師が通常の治療の一環として患者にこれらの麻薬を処方することは依然として許可されたものの、依存症患者に治療薬として麻薬を与えることは禁じられた。

コカ・コーラ社は世間の圧力に屈して、二〇世紀初頭には飲料に含まれるコカインの量を減らす製造方法を開発し、コカインの効用と使用を宣伝することもやめた。一九二二年には、アメリカ合衆国内へのコカインの輸入を禁じるジョーンズ・ミラー法が可決された。しかし、実はコカ・コーラ社は政府からこの法の適用を免除され、コカノキを輸入し続けていたことが数年前に明らかになった。コカ・コーラ社がコーラからコカイン成分を完全に除去し始めたのはようやく一九二九年になってからのことで、しかも今日に至るまでこの麻薬とかかわりのある植物を輸入しているのである。

コカの葉は今なおコカ・コーラに混ぜられている可能性が高い。一九八〇年代にペルー政府との連携によって特別なコカイン抽出法が開発され、レーガン政権の「麻薬戦争」まっただなかであるにもかかわらず、特殊化学製品を扱うステパン社のニュージャージー州のメイウッド工場にコカの葉を輸入する許可が与えられた。この工場で特別な方法によって抽出されたコカイン塩酸塩は、マリンクロット社に売却され、そこでコカイン塩酸塩に蒸溜される。コカイン塩酸塩は多くの耳鼻咽喉科医によって局所麻酔薬として使われているが、コカイン成分を抽出されたコカの葉のほうは、コカ・コーラ社に送られ、コーラに入れられているのだ。

現在のコカ・コーラ社

コカ・コーラ社は現代世界のメガ企業であり、その総資産は二〇一五年現在で九〇〇億ドルを超えている。今なおジョージア州アトランタに本社を置くが、倫理的に問題のある南部連合のために戦った創業者の時代や、コカインを含んでいたころのうさんくさい時代がはるかかなたの過去に思われるほどの大企業に成長している。現在では、社会正義の側に身を置くことをはっきり宣言しており、二〇一六年四月の「ＬＧＢＴコミュニティの平等の権利の重要性に関するコカ・コーラ社の声明」では、あらゆる人々に平等の権利を認めることを支持すると公言した。

コカ・コーラ社は、差別を行う法律を支持しない。差別的な政策はわが社の基本的価値観に反するものであり、わが社の提携者、消費者、顧客、供給業者、パートナーに悪影響を与えるものだと考えている。

二〇一五年三月には、結婚の平等への支援を公言していた。

あらゆる人々が共存する世界を信じるコカ・コーラ社は、多様性を重視し、支持する。わが社は長きにわたってLGBTコミュニティを強く支持し、その方針と実践の両面において、共存、平等、多様性を支援してきた。

コカ・コーラの世界各地の従業員総数はなんと七〇万人である。毎日一九億杯のコーラが提供され、配当金は五〇年にわたり右肩上がりだ。ヴィンテージものを中心として、その製品や広告はコレクター・アイテムになっている。ありがたいことに、コーラはこれからも消えることなく存在し続けるだろう。

2章 ヒューゴ・ボス ナチスのファッション

第二次世界大戦中、多くの企業がナチス・ドイツの軍人の制服や武器を製造したが、その中で今日もなお存続し、おなじみのファッション・ブランドとなったのは一社だけだ。ヒューゴ・ボスである。ヒューゴ・ボス社は、強制労働を利用したことで告発され、ヒューゴ自身が国民社会主義ドイツ労働者党（ナチ党）への忠誠を誓った不名誉なブランドだ。創業者のヒューゴ・ボスがナチ党の掲げる理想に共感して支持したことは否定しようのない事実であり、彼の衣料品会社は、第二次世界大戦前、そして戦時中に、ナチスの軍隊やゲシュタポのために制服を製造する多くの企業の一つだったのである。

ヒューゴ・ボスの若年期

ヒューゴ・フェルディナント・ボスは、一八八五年七月八日、ドイツのヴュルテンベルク王国メッツィンゲンのシュヴァーベン地方の町に、四人きょうだいの末っ子として生まれた。父ハインリヒと母ルイーズはささやかな下着屋を経営し、ヒューゴは一九〇八年にキャサリン・フライジンガーと結婚したときにこの下着屋を受け継いだ。通常であれば、末っ子が家業を継ぐことは珍しいだろうが、きょうだいのうち成人したのはヒューゴと姉一人だけだったため、彼にお鉢が回ってきたのである。夫婦にはやがて娘が生まれたが、一九一四年、第一次世界大戦が始まると、ヒューゴ・ボスはドイツ陸軍に入隊する。従軍中に勲章を授与されることも昇進を経験することもなく、軍人としてのキャリアにはあまり野心的ではなかったようだ。復員すれば家業が待っている身としては、これは当然のことだっただろう。

事業の始まり

一九二四年、従軍してちょうど一〇年後、ヒューゴ・ボスは故郷メッツィンゲンに最初の衣料品工場を開設した。地元の製造業者二社から資金援助を受ける必要があったが、すぐに二〇人から三〇人のお針子を抱えるまでに成長した。かなり初期のころからナチスとかかわりを持ち、事業を起こした最初の年に、ナチ党の悪名高い褐色の制服の大きな受注を得ている。

アメリカの「暗黒の木曜日（ブラック・サーズデー）」によって引き起こされた波及効果が、ヒューゴ・ボスの人生を変

SA.-, SS.-, HJ.-Uniformen

Arbeits-, Sport- u. Regenkleidung

aus eigener Herstellung in bekannt guten Qualitäten und billigen Preisen

BOSS

Mech. Berufskleiderfabrik, Metzingen

Zugelassene Lieferfirma für SA. und SS. Uniformen der Reichszeugmeisterei München unter Nr. 53

ヒューゴ・ボス社の新聞広告（年代不詳）

え、彼をナチス政権の中心部にほうりこむことになる。一九二九年一〇月二四日に始まるウォール街大暴落によって、アメリカ合衆国は大恐慌となり、失業者があふれてアメリカ経済は壊滅的な打撃を受けた。その影響は世界中に波及し、ドイツでも不況が続いて失業者が増え始めた。繊維メーカーは特に大きな打撃を受け、一九三一年にはヒューゴ・ボスは倒産寸前の状態に陥った。ボスは債権者と交渉して生産をなんとか続けたが、ドイツ経済は上向く気配がなく、何らかの手を打つ必要があった。こういった出来事の連鎖がボスをナチ党に向かわせたのだ。一九三一年、ボスは正式にナチ党員となった。ヒトラーが政権を奪取する二年前のことである。ナチ党はドイツを経済的に立ち直らせるとの公約を

Name
G. D. Ort
Stand
Mitgl.-Nr. 508889 Eingetr. 1.April 31
Ausgetr.
Wiedereingetr.
Wohnung
O.-Gr. Gau Württemberg
Wohnung
O.-Gr. Gau
Wohnung
O.-Gr. Gau

ヒューゴ・ボスのナチスの党員証（1931年ごろ）

掲げ、ドイツを悩ませていた失業問題も解決すると公言していた。

ボスが正式なナチ党員になると、第三帝国は彼に大量の仕事を発注した。ナチ党が求めていたのは主として制服と作業着に限られていたため、もちろん制約はあったが、それでも一九三三年から一九三八年まで、売上は右肩上がりに伸びていった。一九三八年から、ナチスの制服の大きな注文が次々と入り始めた。ボスと従業員は、ついに「大成功した」と感じてこの大量受注に有頂天になった。一九四二年に売上はピークを迎えたが、そこで頭打ちになった。財政管理のため、第三帝国は製造業者が請求できる経費に制限を課したのである。ボスの工場は「価格分類一」に指定され、これはつまり、ナチスが必要とする制服を最低限の価格で生産できる企業ということだった。ヒューゴ・ボスにとってはあまりおもしろくない事態だったはずだ。ヒューゴ・ボス社が巨大企業に成長するのは、ボス自身がこの世を去って何年も経ってからのことである。

第二次世界大戦が始まる前に、ボスはすでにナチスの褐色のシャツからSS（ナチス親衛隊）やヒトラー・ユーゲントの制服まであらゆるものを生産していたが、戦時中には、主としてドイツ国防軍と武装親衛隊の制服を生産した。本章では、ヒューゴ・ボス社がナチスの制服の生産に果たした役割に焦点を当てているが、ナチスの大義に寄与した企業はヒューゴ・ボスだけではないことは断っておかねばならない。ボスは生産量や寄与の度合いにおいてきわだっていたわけではなく、ナチスの歯車として機能した広大なドイツ国の多くの企業の一つというにすぎない。興味深いのは、創業期にこのような暗い歴史を持っているにもかかわらず、今なおファッション界でおなじみの名前になっているという事実のほうだ。また、ナチスの制服を生産していたとはいえ、ヒューゴ・ボスはその制服のデザインには一切かかわっていなかった事実も述べておく必要があるだろう。

強制労働

ナチスの支配するドイツにおいて、繊維工業は労働者にとってとりわけ給与が高い職種ではなかった。戦時のドイツで制服はもちろん必須の物品だったが、有能な労働者は兵器や工学などに関連するもっと稼ぎのいい職を求めたため、繊維工業は有能な労働者が目立って不足していた。ここに、ヒューゴ・ボスとナチスの連携の最も暗い歴史が始まる。強制労働である。ヒューゴ・ボス社がはじめて強制労働者を雇ったのは、一九四〇年四月のことだった。戦時中、メッツィンゲンの町全体には合計一二四一人もの強制労働者が住んでいた。その中の一八〇人がヒューゴ・ボスのために働かされた時期もあった。一四〇人が強制労働者、四〇人がフランス人捕虜である。

強制労働者の多くはポーランドのビェルスコから連れてこられた人々だった。ビェルスコにはもともと大きな繊維工業の工場があり、有能な労働力がすでに訓練を受けて準備万端だったのだ。ゲシュタポはこれらの労働者を連行し、メッツィンゲンのさまざまな繊維製造業者に振り分けた。メッツィンゲンに着くと、彼らは性別によって分けられた。女性は地元の家族のもとに預けられ、男性はヒューゴ・ボス社の野営地の倉庫に住まわされた。男性労働者の野営地の調査によれば、少なくとも衛生的な状態であったことはわかっているが、一九四三年には新たな野営地が設置され、メッツィンゲンの多くの工場の労働者がすべてそこに集められることになった。この野営地での生活は不安定と言わざるをえず、食物が不足することもあったし、衛生状態も以前の宿泊施設の水準に達していなかった。いくつかの証拠が示すところでは、ヒューゴ・ボスは、自社の食堂で昼食を提供したり、女性労働者を野営地外にとどめようとしたりなど、労働者が少なくともそこそこの扱いは受けるよう、しかるべき措置を講じたようだ。これらの措置が正しい方向性のものであることはまちがいないが、強制労働という大枠で考えれば些末な問題にすぎないだろう。

戦後の没落

第二次世界大戦も終わりが見え始めた一九四五年四月、ドイツを占領した連合国軍はメッツィンゲン市街に到着した。アメリカ軍、イギリス軍、フランス軍、ソ連軍からなる連合国軍はドイツの占領地域を分割統治したが、メッツィンゲンを含む地域はフランス軍によって占領されることになった。そして非ナチ化が始まった。

非ナチ化とは、ナチス・ドイツ内のすべての官公庁や権力者・支配者層を調査し、そこからナチスのあらゆる痕跡を除去しようとする方策である。この非ナチ化政策の中で、ヒューゴ・ボスはやり玉に挙げられた。非ナチ化については、ポツダム協定に連合国軍の意図がはっきり述べられている。

うわべ上ナチスの活動に加わったようによそおっていたにすぎない人々をのぞくすべてのナチ党員と、連合国の目的に敵対的なあらゆる人間は、公職・準公職および重要な民間企業の責任ある地位から追放される。その職・地位には、政治的、倫理的観点から、ドイツに真の民主社会を築くのに資する能力があると判断される人物が補充される。

この方針は、教育・司法制度にまでおよんだ。

ドイツの教育は、ナチスや軍国主義的考えが完全に除去され、民主主義的な考えが発展するような形で行われる。司法制度もまた、民主主義、法の下の正義、人種・国籍・宗教を問わず全国民の平等の原理にしたがって再編される。ドイツの行政は、政治体制の分権化、地方自治体の発展を目指す方針のもとで執り行われる。この目標に向けて、ドイツ各地の地方自治体は、民主主義の原則にもとづき、選挙委員会を通じて、軍事上の安全を保ち、軍事的占領の目的にかなう形で、可及的速やかに再建される。ドイツ各地において、集会と公開議論の権利を持つあらゆる民主主義的政党が許可・奨励される。

非ナチ化は主として官職にあった者を対象としており、企業経営者の排除や調査を目的としたものではなかった。しかし、ヒューゴ・ボスは個人的にナチ党と親密なかかわりを持っていたため、非ナチ化のターゲットとなった。彼自身がナチ党員だったばかりでなく、唾棄すべき地元のナチスの指導者、ゲオルク・ラートと親交を持っていたのである。非ナチ化委員会はボスに一〇万ライヒスマルクという多額の罰金を科したが、これはこの地域で二番目に高い罰金額だった。フランス軍がボスを見せしめにする必要があると感じていたのはまちがいない。最終的に、ボスはフランス軍によってナチスの「同調者」に分類され、罰金だけですんだ。

一九四八年八月九日、ヒューゴ・ボスは、生涯を暮らしたメッツィンゲンの自宅で、歯の膿瘍により六三歳でこの世を去った。

ヒューゴ・ボス社の謝罪

ヒューゴ・ボスの暗い過去は、彼の名を今なお冠するこのファッション企業を長年悩ませてきた。すべての真実を明らかにしようという決意のもと、ヒューゴ・ボス社は、自社の過去についての歴史的研究を第三者に委託することにした。二〇一一年八月にヒューゴ・ボス社から出版された研究結果はきわめて実り多いもので、さまざまな新事実が明らかになった。

ヒューゴ・ボス社は、この研究書の出版にともない、公式ホームページに以下の声明を発表した。

調査とそのとりまとめは、名高い「企業史学会」（企業の社史を記録することにたずさわるドイツの機関）と、個々の歴史家の協力のもとに行われた。当社は調査・執筆に一切かかわっておらず、この研究の形式・内容に関していかなる影響力もおよぼしていないことを強調しておきたい。

これまでヒューゴ・ボス社は、その歴史について漠然とした指摘を受けてきた。ヒューゴ・フェルディナント・ボスは、一九二四年に最初の自社工場を開設し、その結果、当社は、第三帝国が支配する時代、そして第二次世界大戦中に操業することになった。この時期に、当社の工場は、一四〇人の強制労働者（その大半は女性）と、四〇人のフランス人捕虜を雇用した。この事実が明らかになったとき、当社は、元強制労働者に補償金を提供するために設立された国際基金に寄付を行った。

当社は、すべての関係者に配慮して、そして当社に関する議論に明晰さと客観性を加える目的をもって、この新たな研究を出版した。同時に、ナチスが支配する時代に、ヒューゴ・フェルディナント・ボスが運営した工場で苦痛や苦難をこうむった人々に対し、深い遺憾の意を表したい。

くすぶる問題

ヒューゴ・ボス社とナチスとの関係は、今でも時々表沙汰になることがある。二〇一三年には、過激なネタを売りにするイギリスのコメディアンのラッセル・ブランドが騒動を起こした。イギリスの雑誌『GQ』が主催するGQファッションアワード「オラクル賞」を受賞した際のスピーチで、物議をかもす発言をしたのだ。年一回開かれるこの授賞式はヒューゴ・ボス社がスポンサーを務め、デザイナーやセレブが聴衆として参加するならわしになっている。イギリスの保守党の政治家ボリス・ジョンソン(ファッション業界の授賞式にはおよそ似つかわしくない人物だ)に続いて舞台に登場したブランドは、ヒューゴ・ボス社がナチスとかかわった歴史をジョークにしたのである。

ボリス・ジョンソンがシリアにおける化学兵器の使用なんてたいしたことないと言ったばかりの舞台に立てて光栄だ。これはつまり、GQはGenocide Quips（大虐殺ジョーク）の略ってことでいいよね。おかげさまで、僕の次のコメントもたいしたことじゃないってことになる。ファッションの歴史に少しでも詳しい人なら、ヒューゴ・ボスがナチスの制服を作っていたということを知っているよね。ナチスには悪いところもあったけど、ファッションはめちゃくちゃかっこよかった。それは認めなきゃならない。宗教と性的指向にもとづいて人々を殺したけどね。大虐殺をジョークにしていいってことなんだから、いいよね……超かっこよかったんだから。

この出来事のあと、ヒューゴ・フェルディナント・ボスがナチ党員だったというあまり知られていない事実を強調するような無数の記事が新聞やインターネットで飛び交ったと思われるかもしれない。ところが、実際には、ラッセル・ブランドがヒューゴ・ボス社の微妙な問題を持ち出したことに対して激しい非難があふれることになった。「なぜラッセル・ブランドのナチスに関する冗談はヒューゴ・ボス社に受けなかったのか」「なぜラッセル・ブランドはヒューゴ・ボスに関する物議をかもす冗談を言ったのか」「ラッセル・ブランドはGQ授賞式の聴衆をナチス式の毒舌と敬礼で唖然とさせた」「ラッセル・ブランド、スポンサーのヒューゴ・ボス社に関して不快なナチスの冗談を飛ばして『GQ授賞式の二次会から追い出される』」といった見出しが躍ったのである。

ブランドの冗談はイベントのスポンサーたちには受けが悪く、『GQ』の編集長ディラン・ジヨーンズは、自らの判断でブランドを授賞式の二次会から締め出した。このイベントのためにヒューゴ・ボス社が二五万ポンドもの巨額な寄付をしていることを考えれば、この行動は驚くにあたらないだろう。ラッセル・ブランドはその後、イベント時のやりとりを公式ツイッター（現在はX）に投稿した。「GQ編集長――『君のやったことはヒューゴ・ボス社に対してとても失礼だった』。私――『ヒューゴ・ボスのやったことはユダヤ人に対してとても失礼だった』#GQアワード#ナチスの仕立屋」

『GQ』誌のブランドへのお仕置きは、二次会の締め出しだけでは終わらなかった。授賞式を報じる号ではもともとブランドを特集する予定だったが、それを取りやめ、彼の名をすべて削除した。予想通り、ラッセル・ブランドはこれにもツイッターで応酬した。

「GQがおれを誌面から削った。気に入らないことがあるときのあいつらのいつものやりかただ。だからナチスが好きなんだろう」

3章 ヘンリー・フォード ユダヤ人陰謀論

現在、世界にはよく知られた自動車のブランドがいくつかあるが、その中でもフォード・モーター社は歴史的意義と名声において最高の地位にあると言ってよいだろう。創業者のヘンリー・フォードは、一介の技術者から、歴史上はじめて安価な自動車を大量生産した製造業者の社長となった。フォード社は今なお自動車業界のアイコンとして存続しているが、天才技術者ヘンリー・フォードは裏の顔も持っていた。彼は、一般大衆が自家用車を持てるようになるべきだと考えるなど社会的意識の高い人間で、家庭人としても慈善家としても多くの点で気前がよかったが、悲しいかな、過激な反ユダヤ主義者でもあり、ユダヤ人がアメリカを乗っ取ろうと国際的に暗躍していると思い込んでいた。フォードの過激な意見はメディアによって広く知られ、第二次世界大戦前のヒトラーとその悪名高きナチ党にまで影響を与えた。歴史的重要性において二〇世紀でも指折りの人物であるフォードの偉大さと愚行の両面は、今日に至るまで彼の残した業績につきまとい続けている。

自動車の歴史

先史時代以来、輸送方法として広く利用されたのは馬と車両の組み合わせであり、それはケルト人や古代メソポタミアまでさかのぼることができる。状況が変わり始めたのは、ようやく産業革命の時代になってからのことだ。一九世紀末には、モーターを用いたさまざまな輸送手段が登場し始めた。自動車がアメリカに本格的に取り入れられたのは、二〇世紀に入り、ヘンリー・フォードが自社工場の生産様式・水準に革命的な変化を起こしてからである。フォードの登場は歴史的に重要な転換点だが、彼が市場だけでなく社会自体に与えた影響を真の意味で理解するには、そこに至るまでに自動車がどのような道をたどってきたかを知ることも大事だ。

広大な未開の地を効率的に移動するにはどうすればよいかというのは、人類を長く悩ませてきた問題であり、人々はそのために知恵をしぼり、革新を重ねてきた。そして、移動のために何千年にもわたって使用してきたのが、馬と車両の組み合わせだった。

一八世紀まで、近距離でも遠距離でも、移動のための最も効率的な手段は馬の使用だった。当時の世界は、この昔ながらの移動方法があってこそ成り立っていたと言ってよいだろう。しかし、馬車の使用には欠点もあった。馬は、休息や食物、水、管理、世話を必要とする動物であり、馬をきちんと飼育するには、多大な金と時間が必要になる。したがって、もっと効率的な輸送手段が実現可能となれば、馬車がすたれていくのも当然だった。

自動車産業の先駆者の一人が、フランス、パリの西の郊外、ブローニュ゠ビヤンクール出身のルイ・ルノーである。ルノーは父の道具小屋で長時間過ごすような子供だったが、一八九八年のクリスマス・イヴに彼の運命が変わった。この日、ルノーは自動車を完成させたのだ。兵役に従事する間に金を貯めていたルノーは、その資金でド・ディオン社製の三輪車を購入し、それを四輪車に改造したのである。三輪車自体、モーター式のものではあったが、四つ目の車輪を付け加えることで、モーター式の乗り物の歴史は大きく変わった。ルノーの作った車は丘も難なく上ることができ、加速もスムーズで、ベルトやチェーンが耳障りな音を立てることもなかった。ルノーはその車を見せびらかすため、クリスマス・パーティーに乗りつけた。パーティー客たちは大きな感銘を受け、その場で一二台もの車が発注された。

ルノーは自ら事業に乗り出した。二人の兄、マルセルとフェルナンとともにルノー兄弟社を設立、ビヤンクールの家族の土地で自動車製造を始めた。二人の兄が商業的側面を担当し、ルイはデザインと製造面に注力した。六カ月で六〇台のルノー車が売れた。ルノー車を一台買うには一〇〇〇ドル（二〇一六年の貨幣価値で約二万七〇〇〇ドル、二万一五〇〇ポンド）を優に超える金が必要で、当時の平均的な消費者にとってはかなり高額だった。三人の兄弟は利益をうまく活用し、事業に投資した。数年のうちに事業の規模は二倍に拡大し、一〇〇人以上の従業員を抱えるまでに成長した。ルイは厳格な完璧主義者で、従業員にも自分にも厳しかった。ルノー社の車は、二〇世紀初頭のパリの富裕層の間で人気を集める娯楽となっていた自動車レースでもよい成績を収めた。

一九〇一年のパリ・ボルドー・パリ・レースでは、ルノー車が一位から四位までを独占し、同年のパリ・ベルリン・レースでも一位から三位までを独占した。一九〇二年には、マルセル・ルノーがメルセデスやパナールを相手に勝利を飾った。多くのレースに勝利することにより、ルノー社の名声と人気はフランス中で高まっていった。一九〇三年には、マルセルがレース中に車のコントロールを失って事故死するという悲劇に見舞われたが、経営者の一人を失う不幸にもめげず、会社は成長を続けた。ルイは以前にもまして大きな責任を負ったが、新たな考えを実行に移していった。その一つが、自動車を消費者の生活に見合ったものにしたい、という考えだった。

一九〇四年、ルノー社は、四人が余裕をもって座れるよりゆったりした乗用車を発売したが、これがルノー社に未来を開くことになる。翌年には、パリのタクシー会社が二五〇台もの自動車を注文し、彼らのビジネスモデルは一変した。三年後、ルノー社はヨーロッパ中に一〇〇〇台以上のタクシーを売るまでに成長、やがて販売台数は三〇〇〇台以上に達し、フランス最大の自動車製造業者となった。ルイは用途に合わせたさまざまなタイプの自動車を製造するようになり、節約型の二人乗りの二気筒車からクーペ・ド・ヴィルやリムジンといった贅沢車まで、さまざまなモデルを開発した。

世界最初のガソリン車と目されるのは、ドイツ人のカール・ベンツが一八八六年に製造したベンツ・パテント・モトールヴァーゲンである。しかし、アメリカにガソリン車を持ち込んだのはゴットリープ・ダイムラーだった。一八八八年、ダイムラーはピアノの製造で有名なスタインウェイ&サンズ社と販売協定を締結、ダイムラー社の乗用車がアメリカ合衆国に乗り込むことになった。最初のアメリカ産自動車は、一八九三年、デュリア・モーター・ワゴン社によって製造されたが、このオープンカーは一気筒のガソリン車だった。

ヘンリー・フォードが自動車産業に乗り出そうとしている時期には、ランサム・オールズも試行錯誤していた。一九〇一年にオールズの工場は火事によって壊滅的な打撃を受け、ダッシュボードが美しい曲線を描くモデルだけが難を逃れた。オールズは焼け残った車を試作品として利用し、その年、下請けをうまく使ってこの型の自動車を四〇〇〇台以上生産した。このオールズモビル・カーヴドダッシュは富裕層にとどまらない広い消費者をターゲットにしており、安価であるばかりか、とても頑丈だった。

ヘンリー・フォードが本格的に自動車市場に参入したのは一九〇八年のことだが、この時期、自動車産業はセルデン特許のせいで難題に直面していた。狡猾なジョージ・B・セルデンという弁護士がガソリンを動力とするあらゆる乗り物の特許を得ていたため、ガソリン車の製造者はみなセルデンにかなりの額の特許権使用料を支払わなければならなかったのだ。自動車業界から成長の機会を奪うセルデン特許は、迷惑以外のなにものでもなかった。ヘンリー・フォードはセルデンの独占に対して裁判を起こし、一九一一年、ついに勝訴した。こうして、すべての自動車メ

ヘンリー・フォードの肖像写真（1919年ごろ、フレッド・ハートスック撮影、出典：アメリカ議会図書館）

ーカーがセルデン特許のくびきから解放されたのである。

ヘンリー・フォードの尽力により、自動車は富裕層のための珍品から一般市民も手にできる輸送手段になった。ゆっくりと、しかし着実に、通りには馬車ではなく騒音を立てる自動車があふれるようになった。あらゆる人々のための輸送手段として、モーター自動車開発の波が押し寄せた。一九二〇年には八〇〇〇万台の車が路上を走り、一九二九年には、四五〇〇万人のアメリカ人が休暇中の全国旅行に自動車を使っていた。一九二〇年代を通して、ガソリンスタンドの数は、道路沿いのレストランやモーテル同様、一〇倍に増えた。自動車の使用を中心とする街づくりが行われた最初の大都市はカリフォルニア州のロサンゼルスで、アメリカ中に広がることになる「自動車文化」の発展に寄与した。

一九三〇年代の大恐慌時代には、家族連れが自動車で大平原の砂嵐を逃れ、新たな生活を求めて西部に向かった。自動車はアメリカ人の生活の重要な一部となり、一九三〇年代には、国民の自家用車の所有率は電話やバスタブよりも高かった。道路の舗装も進み、交通量の増加に対応するべく、橋やトンネルの建設のために労働者が駆り出された。一九三九年のニューヨーク万国博覧会は自動車産業が目玉となり、主要企業が革新的な新しいモデルを誇らしげに展示した。第二次世界大戦の勃発によって自動車の進歩は一時停滞したが、ヘンリー・フォードはその前にすでに自動車産業に革命を起こしていた。

ヘンリー・フォードの若年期とキャリア

ヘンリー・フォードは、一八六三年七月三〇日、ミシガン州のグリーンフィールドに生まれた。農家出身だったこともあり、中学二年で学校を中退したが、子供のころから、当時最新の学問だった機械学に強い関心を示した。両親はただでさえごたごたしていた台所に作業台を作ってやり、息子の大志を支援した。ヘンリーは作業台で多くの時間を過ごし、機械いじりをしながらその構造を学んだ。他人とのかかわりが少ない農場での生活はフォードにとってさびしさを感じさせるもので、一般大衆にも手ごろな値段で買える輸送手段が必要だと彼がのちに考えるようになったのは、このような生活も一因だったと考えられる。フォードは、馬を使わない車両を発明すれば世界を変えることができると思うようになった。

フォードは二〇代を機械工として過ごしたが、やがてトーマス・エジソンのもとで働くチャンスを得た。一八九一年、エジソン電気照明会社に技術者として入社し、一八九三年にはチーフ・エンジニアに昇進した。この時期からガソリン・エンジンや馬を使わない車両の実験を始め、自作四輪自動車の製造にも成功する。一八九六年にはエジソンから直接声をかけられ、二台目の自動車製造について励ましの言葉をもらった。フォードは一八九六年六月四日、自作四輪自動車でデトロイト近郊を試走した。直径約七〇センチメートルの自転車のタイヤを使ったこの車は、ブレーキもなく、最高時速は三〇キロ強だった。この自作四輪車は、すぐにオーバーヒートしたり、バックすることもできなかったりといった大きな欠点を抱えており、フォードにとって満足のいくものではなかった。

フォードは独立する意志を固め、一八九九年八月五日、デトロイト自動車会社を創業し、デトロイトの材木商、ウィリアム・H・マーフィーの支援を得て、自動車の製造に着手した。当時のアメリカは、鉄道はすでに存在していたものの、他の交通手段はおそろしく不便な状態のままだった。デトロイトでは自動車製造業ブームが起こり、一八九九年だけで五〇社以上が設立された。翌年にはさらに多くの企業が創業したが、これらの企業はほとんどが失敗した。デトロイト自動車会社も二年間自動車を製造しただけで解散することになる。フォードは、失敗の原因は品質の低さと値段の高さにあると考えた。自分なりの自動車産業像も明確になり、フォードは生産のあらゆる面を自分がコントロールする必要があると考えるようになった。

フォードの次なる冒険は、これまでよりはるかに大きな成功を収めることになる。しかし、このプロジェクトの支援者を募るためには、大胆な手を打たなければならなかった。フォードは、自社の認知度を上げるため、ひそかにレーシング・カーを製造し、一九〇一年一〇月一〇日、有名なレーシング・ドライバーのアレグザンダー・ウィントンと一対一の対決レースを行ったのである。プロのドライバーを雇う資金も名声もなかったため、フォード自身がハンドルを握った。危険な賭けであるにはちがいないが、フォードは成功するためなら危険を冒すことも、失敗することも恐れない男だった。失敗したっていいと覚悟していたし、むしろ失敗の可能性こそが彼を駆り立てているようだった。六周目にフォードがウィントンとの差を詰めたとき、相手のエンジンがオーバーヒートし、フォードは一マイル（約一・六キロメートル）近くの大差をつけて勝った。このレースでの名声がフォード・モーター社の設立につながったのである。

フォード・モーター社の前身が、フォードが石炭業者のアレグザンダー・Y・マルコムソンと提携して創業したフォード&マルコムソン社である。フォードとマルコムソンは、工場をリースしてジョンとホレスの兄弟が経営するダッジ・ブラザーズと契約を結び、フォードは低価格の自動車の設計に取り組み始めた。さまざまな投資家との提携を経て、一九〇三年六月一六日、フォード&マルコムソン社はフォード・モーター社として再出発する。フォードは有名なレーシング・ドライバーのバーニー・オールドフィールドと契約し、オールドフィールドはフォード99号をアメリカ全土で走らせた。二〇世紀初頭にフォードのブランドが人々に広く認識されたのは、このオールドフィールドのパフォーマンスによるところが大きい。また、フォードはその後、誕生したばかりのカーレース、インディアナポリス500を支援することでも販促に成功した。

一九〇六年にはN型フォードを市場に投入、二年にわたって六〇〇ドル（現在の貨幣価値で一万五一二七ドル五〇セント）の値段で売り出した。N型フォードはまずまずの成功を収め、これに気をよくしたフォードは、さらにすぐれた大衆車の開発に取り組んだ。

ヘンリー・フォードはやる気満々で、自分のヴィジョンに自信を持っていたが、すべての人が同じように感じていたわけではない。普通のやりかたでは支援が得られないと考えたフォードは、製造するつもりもない自動車の部品だけを生産して支援者をだましたこともあった。実際には、支援者の資金と時間は彼の最高傑作となる「T型フォード」の開発にあてられていた。フォードには、投資家や彼らの思惑につきあっている時間はなかったのだ。それどころか、これまで物事がうまく進まなかったのは投資家たちのせいだと考え、富裕層や、自分に投資してくれている人々に憎悪を抱くようになっていたのである。

一九〇七年、フォードは工場の一隅を壁で囲み、車のシャシーが入るだけのスペースを確保したが、そこにはたえず鍵がかけられているドアが一つあった。フォードはこの秘密の部屋に技術者チームを集め、新たなサスペンション・システムとエンジンの開発にあたらせたのだ。汚れ作業をいとわないフォードは、部下とともに自ら作業にあたった。当時のフォードは、自らの地位や名声をはるかに凌駕（りょうが）する情熱を持った人間であり、後年見られるような危険なまでのエゴはまだ表面化していなかった。

フォードは新しい自動車モデルを次々と市場に投入した。K型フォードは重くて高価すぎ、よ

1000万台目のT型フォードの前に立つヘンリー・フォード
（出典：アメリカ議会図書館）

り軽量なN型フォードには、エンジンが四つに分かれているという不便さがあった。Aからアルファベット順に開発されたフォード車は、改良を重ねつつ前進し、Tまでたどりついた。T型フォードこそ、大衆のための自動車というフォードの理想を実現した自動車だった。それは、アメリカ大陸の各地を結びつけるとともに、社会の格差を縮める役割も果たす車だった。

一九〇八年一〇月、二年の開発期間ののち、T型フォードがデビューした。T型フォードは、二〇馬力の四気筒エンジンや、大きく改善されたトランスミッション、マグネトー（高圧磁石発電機）を利用したイグニッションやライトなど、革新的な装備を備えていた。当初はオープンカー様式で、屋根はオプションで付ける形になっていた。ボディカラーはもともと緑だったが、すぐに黒に統一された。重量は五五〇キログラム弱、最高時速は約六五キロメートルに達した。従来の馬車では六五キロメートル進むのに一〇時間以上かかったから、T型フォードによって移動のスピードは飛躍的に向上したことになる。当時、危険な地域の移動にはウェルズ・ファーゴ社などの駅馬車が利用されることが多かったが、四頭か六頭の馬によって引かれる乗り物でも、時速約八キロメートルがせいぜいだった。ウェルズ・ファーゴ社のホームページによれば、馬の交換のために約二〇キロメートルごとに停止しなければならず、御者と乗客のために約七〇キロメートルごとに食事休憩を挟まなければならなかった。

フォードが自動車市場での地位を確固たるものにしたのはT型フォードを発売した一九〇八年のことで、これによって彼はアメリカの自動車史にも名を刻むことになった。左ハンドルを採用したこともT型フォードの革新の一つで、自動車ははじめて大衆の手に届くものになった。T型フォードが市場を変革できた要因は、運転・修理がしやすい点にあった。四気筒エンジンのT型フォードの販売価格は八二五ドル、現在の貨幣価値で二万三九二ドル（一万四一二八ポンド）であり、ここにはじめてアメリカの多くの消費者が入手できる自家用車が誕生したのである。乗用車はそれまで、富裕層が特権的に買う製品であり、平均価格は二〇〇〇ドル、現在の貨幣価値で五万三二二五ドル七九セント（四万二一八九ポンド七五ペンス）だった。当時のアメリカ合衆国の平均年収は約四五〇ドル、現在の貨幣価値で約一万ドル（七九〇〇ポンド）にすぎないから、自動車の値段は大きな意味を持っていた。フォードは一九〇九年にこう公言したと言われる。「私は自動車を民主化する。この目標を達成したあかつきには、誰もが自動車を買うことができるようになり、ほとんどすべての人が自動車を所有していることだろう」。フォードが大衆に対してこのような考え方をしてくれたからこそ、多くの人が夢の移動手段を手にすることができたのだ。T型フォードによって市民は地元の町の外に移動することが可能になり、アメリカの交通事情はそれまでとはまったく異なる段階に入った。自家用車を持つことによって人々の生活と移動範囲は様変わりしたが、誰もが所有できるものになるには、消費者の需要に応えるために値段をさらに下げなければならない。フォードはもともと他と比べて安かった値段を毎年下げ続け、ツーリング・カーの基本モデルは三六〇ドル、現在の貨幣価値で八五七二ドル（五九三九ポンド）にまで値下げされた。一九一四年までに四七万二〇〇〇台が売れ、当時の多くのアメリカ人がT型フォードを運転できるようになった。

T型フォードの組み立てラインと労働者

一九二七年に生産中止となってA型フォードに取って代わられるまで、T型フォードは合計一五〇〇万台が生産されるほどの大ヒットになった。黎明期にあった映画産業は、コメディーの小道具としてしばしば自動車を利用し、カーチェイスの場面ではT型フォードが使用されることが多かった。映画で頻繁に使用されたため、T型フォードは多くのアメリカ人の目に触れ、市場で確固とした地位を占めることになった。一九七二年にフォルクスワーゲン・ビートルにその座を奪われるまで、T型フォードは最も生産台数の多い自動車という世界記録を持っていた。ドイツ人にとって、アメリカのT型フォードにあたる手ごろな値段の自動車がビートルだったが、ヒトラーもこの車を愛用していた。それがどんなに皮肉きわまりない事態であるかは、本章を読み進めれば明らかになるだろう。

ヘンリー・フォードが行った革新の中で特筆すべきは、現代的な組み立てラインと労働者の待遇である。組み立てラインを考案したのはヘンリー・フォードだとされることがあるが、それは真実ではない。組み立てラインというのは古来行われてきた製造法であり、一四世紀のヴェネチアの造船所でも取り入れられていた。わずか一日で大きな商船を建造できるという点で、ヴェネチアの造船過程は当時としては他に類を見ないものだった。フォードはそれと同じコンセプトを産業化時代に応用したのだ。フォードが自動車を大量生産するために組み立てライン・システムを開設したのは、一九一三年一二月一日のことだ。常に自動車産業の先頭に立とうという強固な意志を持っていたフォードは、一台の自動車製造にかかる時間を、それまでの一二時間半からわ

フォード工場の組み立てライン（1913年ごろ、出典：アメリカ議会図書館）

ずか一時間半に短縮した。彼の目標は一日に一〇〇〇台の自動車を製造することだったが、組み立てラインによってこの目標を達成することが可能になった。それ以前も各パーツはすばやく作ることができたが、組み立てに時間がかかっており、そのネックが解消されたわけだ。労働者は一人一人が別々の仕事を任されるため、各自が専門的な知識を持ち、作業に熟練するようになった。しかし、それはまた、どんなに有能な労働者も一つの専門的な仕事しかできないということであり、作業担当が替わったり、別の会社で働いたりということになれば、労働者は苦労を強いられた。組み立てラインでは職人的な高い技術は必要とされないため、非人間的だと感じる者もいた。フォード工場の単調な繰り返し作業に嫌気がさして離職する者も多かった。新たな労働者を雇って訓練するには費用がかかり、フォードは製造方法と経費の低さを維持するために思い切った手を打たなければならないと考え始めた。

フォードが労働者に対して用意した待遇もまた注目すべきもので、それ以前に労働者が経験していたひどい境遇に比べれば雲泥の差だった。フォードは労働者に献身と勤勉を求めたが、離職率を低くするには工場の給料を上げなければならないと感じていた。一九一三年、フォードは五万二〇〇〇人の従業員を雇わなければならなかったが、離職せずにとどまったのは一万四〇〇〇人だけだった。新たな労働者を雇えば、訓練するために費用も時間もかかるため、工場の仕事の流れに影響が出る。そこでフォードは、一九一四年一月五日、従業員の日給を五ドル（現在の貨幣価値でおよそ一一九ドル、八二ポンド）へと倍増するという歴史的決断を下した。給料を倍増するなど当時としては前代未聞のことで、これによってフォードの工場は一流の才能を持つ人々がこぞって集う職場になった。一日の労働時間も九時間から八時間に短縮された。これらのアナウンス効果はてきめんで、翌日には一万人以上がフォードの工場の外に列をなして集まった。この出来事は国際的なニュースになり、『ニューヨーク・タイムズ』紙だけで三五本もの記事になった。しかし、一方でフォードは労働組合には強固に反対した。

表面的には、労働問題に対するフォードの取り組みは誰もが得するものだったように見えるが、いかにも一筋縄ではいかないヘンリー・フォードらしく、少し掘り下げてみると話はそう単純でないことがわかる。労働者に対するフォードの複雑な考え方は、移民に対する不信に集約されると言ってよいだろう。日給五ドルというのは無条件に与えられるものではなかった。それは一種のインセンティブであり、フォードの厳しい要求に応えられなければもらえる保証はなかったのだ。フォードは移民労働者に自社の英語学校に通って完全な「アメリカ人」になることを強制した。この学校を卒業するには六カ月かかったが、その卒業式がまた大変なものだった。強制的なアメリカ化課程を修了した労働者たちが全員、出身国の民族衣装を着せられたうえで、舞台上の「フォード英語学校メルティング・ポット（「メルティング・ポット」には、「（金属を溶かすための）るつぼ」のほかに、「人種のるつぼ」の意味もある）」と書かれた大釜に飛び込んでいくのだ。釜の中で言わばかき混ぜられた彼らは、きちんとしたアメリカ人にふさわしいスーツと帽子を身につけて出てくる。たいした見ものだったにちがいない。もっとも、このような同化政策はフォードが発明したものではない。数百年前にアメリカ先住民に対して行われた行為もアメリカ化以外のなにものでもなかった。それは、アメリカ先住民を「文明化」して西欧流の生活様式、習慣、衣服、教育に適応させようとする意図のもとに行われたもので、この偏狭で愚かな方策により、アメリカ先住民の文化は骨抜きにされたのである。

　フォードはまた、「フォード福利部」なるものを設置したが、この部署の人間は、従業員の自宅にまで押し入って部屋が清潔に保たれているかどうかチェックするという、プライヴァシーの侵害以外のなにものでもない行為を行っていた。福利部は、あたかもＫＧＢのごとく、「祖国」の誰かに仕送りをしていないか、結婚しているというのは本当か、家に下宿人を置いていないかなどを厳しく問い詰め、水道の水が清潔かどうかまでチェックしたという。フォードは、移民労働者が自らの理想のアメリカ市民像に合致するようソーシャル・エンジニアリングを行ったと言ってもよい。日給五ドルは、実は移民から外国文化を除去するための方策だったということである。検査で二度失格の烙印を押された従業員は解雇された。このようなプライヴァシーの侵害とソーシャル・エンジニアリングは、今日の世界では論外だろう。

フォードは広報活動も盛大に行い、「フォード映画部」という部署を作って社内の様子を撮った映画まで製作した。一九一四年、その最初の映画『ヘンリー・フォードはいかにして一日一〇〇〇台の車を作るのか』が劇場公開された。この自己宣伝映画では、ヘンリー・フォードは質素な趣味を持つ大衆的な人間として提示されている。従業員同様、勤勉で仕事好きな普通の人として描かれているのだ。

実際のヘンリー・フォードは奇妙な二面性を持つ男だった。社交界の名士の友人たちといっしょにいるところを写真に撮られることが多い大金持ちであったにもかかわらず、メディアでは大衆的な実業家ともてはやされた。この扱いがフォードのエゴを増大させることになった。従業員に関しても、自分で誰かを解雇することはエゴが許さない。イメージが崩れるからだ。したがって、このいやな仕事をこっそり他人にやらせることになる。ある日従業員が職場に来てみると、自分の机が消えているのだ。フォードは他人におよぼす影響力を楽しみ始め、それによって彼の尊大さはふくれあがってしまった。自分の判断と意見は間違えようのないもので、疑義を呈されることなどあってはならないと思い込んでしまったのである。

フォード・モーター社の社長交代

一九一八年、ヘンリー・フォードはいやいやながら社長の座を息子のエドセルに譲ったが、それ以後も会社の最終決定権はヘンリーの手にあった。実権を握り続けたヘンリーは、株主を言いくるめて株を自分とエドセルに売らせ、会社の支配権をフォード家に戻そうというような策略をめぐらしたこともあった。エドセルの社長という肩書は名目上のものにすぎず、実際はヘンリーが会社のあらゆる面に影響力を持ち、時にはエドセルの決定をくつがえして息子の面目を失わせることさえあった。

一九二〇年代のアメリカは激動の時代だった。若者による新たな音楽やダンスクラブが登場し、禁酒法が施行された。変化は道路事情にもおよんだ。これまでまったく交通量のなかった道路にたちまち自動車があふれるようになったのだ。渋滞が頻繁に起こるという不便もあったが、新時代は大変化をもたらした。自動車産業ブームによってゴム産業と石油産業が活況を呈し、ガソリンスタンドや道路沿いにモーテル、レストランが建てられ、もちろん道路の建設や拡張も行われた。突如として自動車が大衆の手に渡ったことにより、休暇の過ごしかた、そして都市のありかたまでもが変化をこうむった。若い世代は自動車をレジャーや気晴らしの手段とみなしたが、保守的な考えを持つヘンリー・フォードはこれが気に入らなかった。新世代の消費者たちは、新機能を搭載したより精巧で派手な自動車を求めた。狂騒の二〇年代には派手でスタイリッシュなものが好まれたが、フォードはその流行を自社の自動車に取り入れるつもりはなかった。過度の消費主義はフォードの性に合わなかったのだ。「一世代前のアメリカ人は慎重に物を買ったが」とフォードは語っている。「最近では、宣伝文句を聞いただけですぐ購入してしまう」

フォードは新たな市場を無視し、その結果当然のことが起こった……売上が落ち始めたのだ。それを横目に、ゼネラルモーターズ社のシボレーは、ボディカラーも鮮明な新しい色をそろえ、売上を三倍に伸ばしていた。フォードはT型フォードしか製造しようとせず、かたくなに自らのヴィジョンにこだわり続けたが、そのために市場での地位が低下し始めた。T型フォードは新たな世界では時代遅れになっていた。それにもかかわらず、フォードは「フォード社の問題点は、生産速度が追いつかないことだけだ」と言い張り続けた。

エドセル・フォードは大変革を行わなければならないと判断し、父に匹敵するような大胆な行動を起こした。A型フォードの開発である。A型フォードは、分割払いでも購入できるはじめてのフォード車だった。A型フォードの投入はエドセルが主導して行ったが、メディアではヘンリーの決断によるものとされた。実際には、父を説得するのにエドセルは大変な労力を払わねばならなかった。A型フォードは初年度だけで七〇万台の売れ行きを示し、会社の再建に貢献した。しかし、この出来事をきっかけにヘンリーとエドセルの仲は険悪なものとなり、以後二人が真に和解することはなかった。ヘンリーは、愛息子ともいうべきT型フォードが時代遅れになったと認めることができなかったが、アメリカは大変革のまっただなかで、地方から都市部に人口が流入し、農村が中心的な役割を担う時代は過ぎ去ったのである。

一九二九年のウォール街大暴落はデトロイトの町と産業に深刻な影響をおよぼした。貧困と失業の波がアメリカ中に広がり始め、消費者はたちまち姿を消した。四年間で自動車市場はそれまでの事業の九〇パーセントを失った。フォードは、日給を七ドルに上げることで従業員の生活を保障しようとしたが、A型フォードの売上が落ちたため、結局彼らを解雇せざるをえなかった。一九三〇年代はじめにデトロイト市長のフランク・マーフィーが見積もったところでは、フォード社の工場だけで、貧しい生活を送る二〇万人の三分の一が解雇されたという。この経済不況の時代には、失業した市民はわずかなパンの配給を受けるためだけに何時間も待たねばならなかった。腹をすかせたフォード社の元従業員たちは、通りに乗り出して他の失業者たちとともに飢餓行進に加わることもあった。当時の『フォーチュン』誌は、「売上の下落により、フォード氏は、アメリカで最も金を稼いだ男の一人から、最も金を失った男の一人になった」と報じている。皮肉にも、その同じ『フォーチュン』誌が、一九九九年には二〇世紀を代表する実業家としてヘンリー・フォードを選ぶことになる。

ヘンリー・フォードと労働組合

ヘンリー・フォードは労働組合を憎悪した。自分の好きなように工場を経営する権力と絶対的権威に異議を申し立てることが気に入らなかったのである。

フォードは、デトロイトに隣接するリバールージュにある工場の管理のために、元軍人のハリー・ベネットという男を雇った。ベネットは、身長約一七〇センチメートル、体重約六六キログラムと小柄ではあったが、従業員への締め付けを強めるため、武装した無法者たちを引き連れていた。フォードは、この二四歳の若者に、リバールージュ工場で従業員を押さえつける役目を果たすことを期待した。この工場の従業員は胆(きも)の据わった男が多くて管理しづらく、フォードは、彼らを力ずくでも服従させるような直属の部下を必要としていたのである。ベネットは期待を裏切らなかった。部下ともども、鉄拳と銃によって工場を取り締まったのである。

ベネットは工場の地下にオフィスを設けたが、そこには、ベネットの机の下のボタンを押すと開く秘密のドアがあった。そのドアから入れる秘密の部屋で、ベネットとフォードは極秘の会合を持った。ベネットは骨の髄までフォード社に忠誠を尽くす決意を固めており、「おれはフォード氏と一心同体だ」と誇っていた。ヘンリー・フォードに比類ない忠誠心を示し、「フォード氏が明日太陽を隠してみろと言えば、苦労するかもしれない。しかし、朝リバールージュ工場に通勤してくる一〇万人の従業員は、みんなサングラスをかけていることだろう」と語ったこともある。

ベネットはギャングまがいの行動をとり、「サービス部」と名づけられたフォード社の警備部に多くのスポーツマンや元軍人、元警官を採用した。スーツを着込んでフェルトの中折れ帽をかぶった男たちが、銃を手に暴力で脅して従業員を牽制した。工場の規則は厳格なものとなり、従業員はお互いに話すことも、座ることも許されなかった。この理不尽な規則への対処法として、従業員は、ベネットや彼の部下からの暴力を逃れるべく、唇を動かさずに話すすべを身につけたほどである。彼らはこの技法を「フォード顔面法」と呼んだ。

一九三五年、全国労働関係法、通称ワグナー法が制定された。この新たな法律により、労働者は、労働組合を作る団結権と、労働条件や賃金を交渉する団体交渉権を手に入れることになった。しかし、フォード・モーター社は、大企業の中でも最後まで労働組合に反対し続けた。ベネットは、フォードから、組合を妨害するためならどのような手段をとってもよいという権限を与えられていた。組合の代表者たちが工場にやってきてパンフレットを配布しようとすれば、サービス部のならず者たちが襲撃した。写真家によって撮影されたその現場の写真がすぐにアメリカ中に広まり、労働組合がどれほどひどい闘いを強いられているかが白日のもとにさらされた。フォード工場での締め付けは際限がなくなっていった。集団で話しているだけで組合活動を行っているとみなされ、殴打されたうえで解雇されることも多かった。一九四一年四月には、リバールージュ工場の外で五万人のフォード社員が抗議し、給与と労働条件に関する組合の要求に従うようフォードに圧力をかけた。フォードは、組合の要求に屈するくらいなら工場を閉鎖したほうがましだと激怒したと言われるが、しかしそのフォードでさえ最終的には組合を押しとどめることはできなかった。息子のエドセルがまともな判断力を示して介入し、組合と妥結が行われたが、ヘンリー・フォードはこのことを根に持った。

ベネットはヘンリー・フォードの右腕として信頼されていたが、息子のエドセルにとっては目の上のたんこぶとでも言うべき存在だった。ある男がエドセルを脅迫して命をおびやかしたとき、ベネットはこの件は自分に任せてくれと言ったが、その男はやがて死体となって発見された。ベネットがかかわり合いにならないほうがよい人物であることは明らかだった。ヘンリー・フォードはベネットに息子をスパイさせることさえあった。エドセルは派手で贅沢な生活をしており、ヘンリーはそれが気に入らなかったのだ。エドセルは一人息子だったが、ベネットを父の愛情をめぐるライバルと目するようになった。フォードが愛情を表に出すことはほとんどなかった。

従業員を管理するためにベネットを雇ったヘンリー・フォードは、先駆者精神にあふれる情熱的な実業家の大物だった若き日のヘンリー・フォードとは似ても似つかぬ存在になりはてていた。フォードは被害妄想を募らせて怒りっぽくなっていった。自分がよく知る古き良き時代が過ぎ去り、国が悪い方向に向かっていると感じ始め、昔を懐かしむような発言をすることが多くなった。歳を重ねるにつれ穏やかになるということもなく、ユダヤ人が自分を迫害していると何度も口にするようになる。エドセルは父の精神状態を危ぶみ、フォード・モーター社を経営する能力についても疑問に思うようになった。ヘンリー・フォードは、一九三八年と一九四一年に軽い脳卒中の発作を起こしたが、一九四五年にこれら二回よりはるかに重い発作を起こし、以後精神錯乱の状態に陥った。この重い発作の前、一九四三年五月二六日にエドセルが四九歳で胃癌により亡くなっていたため、エドセルの息子のヘンリー・フォード二世がフォード・モーター社の社長を引き継いだ。ヘンリー・フォード一世は、一九四七年四月七日、八三歳でこの世を去った。

当時の過激な反ユダヤ主義

二〇世紀初頭、アメリカ合衆国には約一〇〇万人のユダヤ人が暮らしており、その半分がニューヨーク市に居住していた。半世紀前にはアメリカに住むユダヤ人は五万人にすぎなかったことを考えれば、大変な増加である。その数は急速に増え続け、一九〇〇年から一九二四年にかけて、さらに一七五万人のユダヤ人がアメリカに移住した。これによってユダヤ人はアメリカの人口の三・五パーセントを占めることとなり、社会、政治における権力と影響力もまた急速に大きくなっていった。アメリカにおけるユダヤ人の割合はもともと一パーセント以下だったから、これまた大変な増加である。ユダヤ人の多くは東海岸に住んでいたが、急速な増加によって無視できない存在になり、セオドア・ルーズヴェルトが一九〇四年に大統領選挙に立候補したときには、選挙運動用にイディッシュ語のパンフレットが用意されたほどである。

ユダヤ人の増加に着目した陸軍は、第一次世界大戦中、徴用のターゲットとしてユダヤ人を重視し始めた。アメリカが公式にドイツに宣戦布告した三日後の一九一七年四月九日には、早くも全国ユダヤ人福祉委員会が発足した。この委員会の設立目的は、戦時中のユダヤ人兵士を支援すると同時に、キリスト教の兵士を支援するために司祭や牧師が派遣されたのに倣い、ラビを募ったり訓練したりすることだった。

アメリカ合衆国で反ユダヤ主義が急速な広がりを見せたのは、第一次世界大戦から第二次世界大戦の間の時期である。大恐慌が事態を悪化させた。裕福なユダヤ人やユダヤ人銀行家が株の大暴落を引き起こしたという認識が広まり、アメリカのユダヤ人に対する憎悪が激化して暴力行為に至ることもあった。

当時ユダヤ人を攻撃した組織の一つが、クー・クラックス・クラン（KKK）である。この組織はもともと、南北戦争で南軍が北軍に敗北したあと、反動的な勢力が集まって結成されたと考えられている。しかし、この第一期のKKKは激動期のアメリカにあって五年間しか続かなかった。第二期のKKKは一九一五年に組織され、第二次世界大戦末期の一九四四年まで続いた。第一期のKKKの攻撃対象がアフリカ系アメリカ人の指導者や彼らの躍進だったのに対し、第二期のKKKは、もちろんアフリカ系アメリカ人に対して好意的であるはずはなかったが、アメリカへの移民の数が増加していたユダヤ人とカトリック教徒を主な攻撃対象としていた。KKKの会員数は驚くべき増加を示し、当時のアメリカのユダヤ人口を優に超えて四〇〇万人以上に達した。

来るべき反ユダヤ主義の暗い歴史に先鞭をつけたのは、一九一五年にアトランタで起きた、レオ・フランクというユダヤ人実業家に対するリンチ事件である。フランクは、自らが経営する鉛筆工場の従業員を殺害した容疑で起訴された。当時のジョージア州知事、ジョン・M・スレイトンは、フランクに下された死刑判決を終身刑に減刑したが、これに激怒した群集が独房に乱入し、フランクを通りに引きずり出してリンチを加え、縛り首にした。のちに明るみに出た証拠から、殺人事件の真犯人は、フランクを告発した当人である鉛筆工場の管理人、ジム・コンリーだった可能性が高いことが判明した。フランクはようやく一九八六年に特赦が認められた。

実際に暴力がふるわれた例はそれほど多くないものの、アメリカ合衆国でユダヤ人移民に対する反感が醸成されていたことはまちがいない。一九三八年のギャラップ世論調査によれば、「ユダヤ人をよく思っていない」という項目に「はい」と答えたアメリカ人の割合は五〇パーセントだった。第二次世界大戦直前のアメリカ社会はこのような状況だったのである。

この時期の『新国際百科事典』のユダヤ人の解説項目には、次のような記述がある。

ユダヤ人の顕著な精神的、道徳的特徴としては以下の点が挙げられるだろう。激しく過酷な肉体労働に対する嫌悪、強い家族意識と子煩悩、際立った宗教的本能、開拓者や兵士の勇敢さよりは預言者や殉教者の勇気。逆境にあっても強い民族的団結力を保持し、驚くべき生存能力を見せる。個人としても集団としても、搾取する能力に長けている。投機やお金がからむ問題全般において狡猾さと鋭敏さを示す。華美なものに東洋的な愛好を示し、権力を好んで社会的地位に喜びを見出す。全体としてきわめて高い知力を持っている。

ある民族全体をこのような形で「定義」して固定観念にはめること自体、当時の社会がユダヤ民族に対してどのように考えていたかを示す例証と言ってよいだろう。ユダヤ民族は、別個に定義が必要な特殊な人種とみなされていたのである。

『ディアボーン・インディペンデント』の時代

一九一八年、ヘンリー・フォードは、個人秘書を務めていたアーネスト・G・リーボルドに、ミシガン州ディアボーンを本拠にする週刊の地方紙『ディアボーン・インディペンデント』を買収させた。フォードはこの週刊紙に五〇〇万ドルもの大金を投資し、自分の意見を大衆に広める算段を整えた。買収前に編集長を務めていた人物がフォードの反ユダヤ的な論文を掲載するのを拒んだため、フォードは彼を解雇して自分に従順な新たな編集長を雇った。フォードは、『ディアボーン・インディペンデント』に、ユダヤ人の支配と策略が世界中でひそかに進行しているという陰謀論に関する記事を発表し始める。ピーク時には、この新聞の発行部数は七〇万部にものぼったという。アメリカ各地の七〇〇〇を超えるフォード社の販売代理店は、定期購読制のこの新聞を店に揃えておくことを義務づけられたため、フォードの右翼的な見解は広く行き渡ることになった。もちろん反ユダヤ的な新聞は他にも数多く存在したが、これほどアメリカ全土に読者を持つ新聞は他になかった。

『ディアボーン・インディペンデント』にはじめて掲載された反ユダヤ的な記事は、「反ユダヤ主義――それはアメリカ合衆国でも表面化するのだろうか」という見出しで、匿名の執筆者がアメリカにおける「ユダヤ問題」なるものについて論じている。この論文は、まずユダヤ人を四つのタイプに分けて定義し、アメリカのユダヤ人の存在自体や彼らの意図（ユダヤ問題）について論じようとするとそれだけで反ユダヤ的でユダヤ人に憎悪を抱いているとみなされる、と論を進める。

反ユダヤ主義というのは、ユダヤ問題が存在していることを認識することではない。もしそうなら、大半のアメリカ人が反ユダヤ的だということになってしまう。というのも、今やユダヤ問題は私たちの実生活の各方面に顔を出しており、アメリカ国民の大多数がユダヤ問題の存在に気づき始め、その傾向は今後も続くと思われるからである。ユダヤ問題はたしかに存在している。本当に気づいていない者もいれば、臆病心から沈黙している者もいるだろうし、自分の心にうそをついてその存在を否定している者もいるかもしれない。それにもかかわらず、この問題は厳として存在しているのである。そのうちあらゆる人がそれを認識しなければならなくなるだろう。過敏に反応したり、おびえたりして、「シーッ」と沈黙を強要

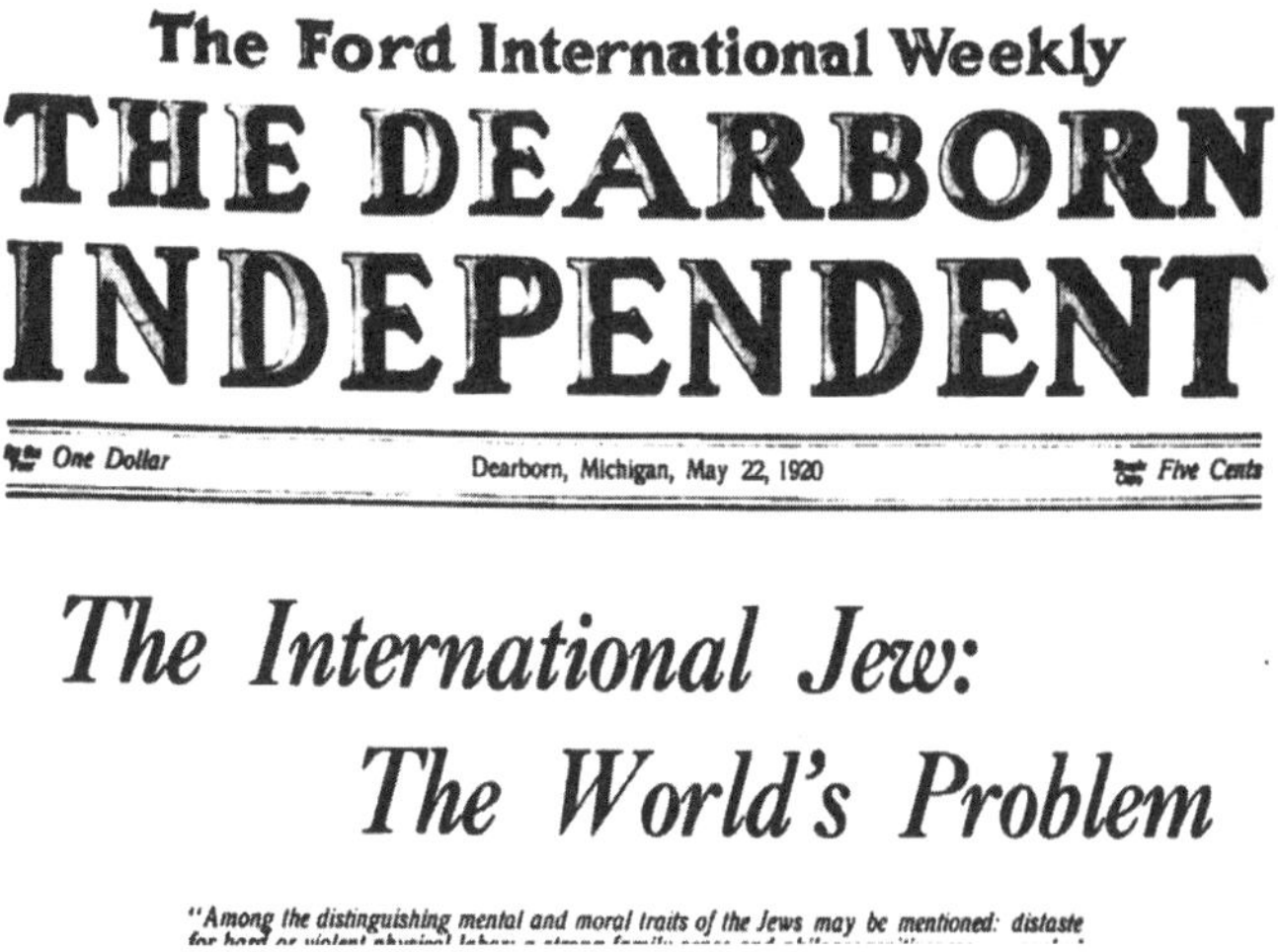

The Ford International Weekly
THE DEARBORN INDEPENDENT

One Dollar　Dearborn, Michigan, May 22, 1920　Five Cents

The International Jew:
The World's Problem

"Among the distinguishing mental and moral traits of the Jews may be mentioned: distaste

『ディアボーン・インディペンデント』紙（1920年）

する人々も、それを抑え込んでいられなくなるだろう。しかし、ユダヤ問題を認識することは、ユダヤ人に対する敵意や憎悪のキャンペーンを始めることではない。単にわが文明に古来潜んでいたある傾向の流れが、私たちの注意を引くほど広大、強大なものになったにすぎない。私たちはこの問題について何らかの対処をし、過去の誤りを繰り返すことのない、しかも未来に社会的な脅威をもたらさない適切な方策をとることを求められているのである。

これらの反ユダヤ的な記事、社説は、一九二〇年に『国際ユダヤ人――世界最大の問題』のタイトルで書籍としてまとめられた

（邦訳は『国際ユダヤ人―現代によみがえる自動車王ヘンリー・フォードの警告　キーワードは「分裂」と「混沌」　諸国民を陥れよ！』島講一編訳、徳間書店、一九九三年）。販売代理店や全国に読者を持つ『ディアボーン・インディペンデント』の定期購読者を通して、フォードはこの反ユダヤ的な書籍を五〇万部も流通させた。『国際ユダヤ人』はやがてアドルフ・ヒトラーも所有することになり、ナチスが支配するドイツでベストセラーになった。一九二一年には続篇となる『アメリカ合衆国におけるユダヤ人の活動――国際ユダヤ人　第二巻』が刊行された。

ナチス・ドイツでは大ベストセラーとなったフォードの反ユダヤ的な書籍だが、アメリカでは反発する声が沸き上がった。『国際ユダヤ人』をはじめとする出版物やパンフレットに警戒心を募らせた米国キリスト教会連合協議会は、これに対抗する「過激な偏見の危険性」と題する声明を発表した。この文書には、聖職者、著作家、ジャーナリスト、政治家など数十名が署名したが、その署名のトップには、ほかならぬ現職大統領ウッドロウ・ウィルソンの名があった。この声明は、反ユダヤ的な出版物や感情が蔓延していることに懸念を表明している。

以下に署名する非ユダヤ系にしてキリスト教の信仰を持つ市民は、ヨーロッパでの似たようなキャンペーンに従って（またそれとの共謀により）行われている、この国の組織的な反ユダヤ主義のキャンペーンに深い懸念と反対を表明する。とりわけ、ユダヤの出自と信仰を持つ同胞市民への不信と疑惑、そして彼らの忠誠心と愛国心に対する不信と疑惑をかきたてるような多くの書籍やパンフレット、新聞記事の出版を深く憂慮する。
広く流通しているこれらの出版物は、わが国の政治生活に新たに危険な精神を持ち込むものであり、わが国の伝統と理想に著しく反し、わが国の政治体制を破壊するものである。

『ディアボーン・インディペンデント』は、ユダヤ人の実業界の大物を名指しで攻撃するような記事を書き散らし、第一次世界大戦から非合法な密輸、ジャズ音楽、そしてロシア革命に至るあらゆるものをユダヤ人のせいだと論じた。フォードは煽動的な「サピロ家の少年たちの物語」という連載記事を掲載したが、この被害妄想的な記事は、アーロン・サピロというユダヤ人が組織している農業組合が、国際ユダヤ人による謎めいた陰謀を企んでいると告発したものである。その陰謀とは、アメリカの農家をだまし、アメリカの農業・園芸資源を奪い取ってアメリカ国民を飢餓にさらそうとすることだ、というのである。

フォードの反ユダヤ的著作

ヘンリー・フォードは、当時アメリカで急速に広まっていた陰謀論、つまり、ウォール街から銀行に至る世界中のあらゆる金融ディーラーはユダヤ人で、彼らはアメリカ中を完全に支配しようとしているという考えを信じていた。ユダヤ人はビジネスであらゆる人をだまし、無慈悲に暴利をむさぼっていると思い込んでいたのだ。フォードにとって、ユダヤ人は策略と支配の象徴、世界のあらゆる問題の源となった。「ユダヤ人を惹きつけるものを一つ挙げるとすれば、それは権力だ」とフォードは『ディアボーン・インディペンデント』で述べている。「ユダヤ人は世界のごみあさり人である。ある国で何かうまくいかないことがあれば、そこにはいつもユダヤ人がかかわっている」。古来ユダヤ人は世界の問題のスケープゴートにされることが多かったが、進歩的な人々がそれに異議を唱えることはほとんどなかった。世界が反ユダヤ主義の悪を深刻に認識するようになったのは、第二次世界大戦とホロコーストの惨劇を経験したあとのことである。

フォードは貧しいユダヤ人と「国際ユダヤ人」を区別したうえで、後者を強欲な略奪者とみなし、「裕福な搾取者」と呼んでいる。彼は、国際ユダヤ人に関する被害妄想にもとづく反ユダヤ主義は知的で理性的なものであり、完全に正当なものだと信じ込んでいた。

ユダヤ人は再び世界中で批判的な注目を浴びている。戦争が始まって以来、金融、政治、社会においてきわめて大きな存在感を示しているため、世界におけるユダヤ人の地位、権力、意図が新たに考察されているが、そのほとんどは好意的とは言えないものである。

どうやらフォードは、どんなに邪悪でよくない考えでも、それが広まって一定の数の個人によって真実と認められれば正当なものになるという哲学を奉じていたようだ。これはまた、その後ナチス政権下のドイツにおいて多くの人々が経験するのと同じ論理でもある。

フォードはまた、もともと一九〇三年にロシアで出版された『シオン賢者の議定書』という煽動的な悪名高い文書も世に広めた。この偽造文書は架空の大がかりな国際ユダヤ人陰謀論を詳細に論じたものだが、フォードはこれが真実だとかたくなに信じていた。その主張を簡単にまとめれば、裕福で影響力のあるユダヤ人のエリート・グループが世界の運命を支配している、ということになる。フォードはこの偽書の短縮版を『ディアボーン・インディペンデント』に掲載し、それは最終的に、『国際ユダヤ人』にも含まれることになった。

ロンドンの『タイムズ』が一九二一年にすでに『シオン賢者の議定書』の内容はまっかなうそだと暴露していたにもかかわらず、フォードはこの文書の抜粋を掲載し続けた。『シオン賢者の議定書』は、ナチス・ドイツにおいても学校で真実として子供たちに教えられることになる。実際、ナチ党は、第二次世界大戦開始前に『シオン賢者の議定書』を二三回にもわたって再版した。一九二七年に発表された公式の謝罪文で、フォードは『シオン賢者の議定書』を「最悪の偽書」と認めている（この謝罪文については、あとで詳しく触れる）。

一九二〇年五月二九日、フォードはドイツにおけるユダヤ人問題についての社説を掲載し、第一次世界大戦後のドイツの現況にはユダヤ人が大きく関係しているという見解を明らかにした。

かつては、病気になると、羞恥と秘密のヴェールで覆わなければならないと信じられていた。しかし、現在では、病気であることを公表してもまったく恥ずかしいと思わないですむ状況になっている。しかし、政治的な衛生はそこまで進んでいない。

ドイツという国全体が罹患している病の原因の多くは、ユダヤ人の影響に帰せられるべきものである。このことは鋭敏な頭脳の持ち主には何年も前から明らかだったが、今ではどんなに鈍い人間の目にも明らかなものになりつつあるようだ。ドイツの病気の症状は表面化しており、この事実はどうやっても隠しようがない段階に至っている。あらゆる階級のドイツ国民が、第一次世界大戦後のドイツの崩壊と革命（ドイツ国民は現在、そこからの回復途上にあるところだ）は、ユダヤ人の奸計（かんけい）によるものと信じている。

ドイツのユダヤ人は、ドイツ人の客分にすぎない。……ユダヤ人はドイツの主人になろうとして怒りをかっている。純粋なゲルマン人と純粋なセム人ほど対照的な民族は世界に存在しない。したがって、両者がドイツで調和的に暮らすことなどできるはずがない。ドイツ人がユダヤ人をはっきり客分とみなす一方で、ユダヤ人のほうでは、ドイツ国民としての特権が与えられないことに憤慨して、主人に対して敵意を抱いているのである。

フォードの論文でいつも話題になっているのが、彼のいわゆる「ユダヤ問題」である。フォードは、ユダヤ人が差別されたり疎外されたりするのは、彼らの宗教のためではなく、ユダヤ文化に見られるあらゆるものを同化してしまう特質や、民族として遺伝的に持っているさまざまな属性のためだ、と思い込み、それを自説として発表した。

現代社会、特にアメリカでは、ポリティカル・コレクトネスの問題が議論を呼んでいる。あらゆる人々に配慮してその尊厳を守るべきだと考える人々と、性別や性的指向、人種、宗教などに関する言葉や価値観を、現代の用語や進歩的な考え方に置き換えるべきではないと考える人々の間に深い溝が生じているのだ。このため、多くの人々が不快感を抱く呼称や価値観が今なおまかり通っている。フォードの論文からは、一九二〇年代にすでに人種に対する配慮が議論の的になっていたことがうかがえる。それは特に反ユダヤ主義の問題を扱うときに顕著だった。

ユダヤ問題について書くときに特に厄介なのは、この問題全体に関してユダヤ人も非ユダヤ人も過敏になっていることである。「ユダヤ人」という言葉を公の場で使ったり、印刷物に掲載したりすることさえ好ましくないものとするような雰囲気が漠然と形成されている。こういった状況に恐れをなして、不正確のそしりをまぬかれないにもかかわらず、「ヘブライ人」や「セム人」といった言葉でごまかそうとする試みが行われている。人々は、この話題全般が禁じられたものであるかのように慎重になり、勇気あるユダヤ人の思想家が古き良き言葉「ユダヤ人」をはっきり使用しているのを見て、ようやく緊張が解けて禁忌が取り払われるという状況なのだ。

非ユダヤ人がユダヤ問題を公に論じる際には、細心の注意が求められている……ユダヤ人は依然として世界の謎であり続けている。

フォードはますます陰謀論にのめりこみ、「ユダヤ問題」は、ユダヤ人が世界中で追い求めている権力と支配に集約されると確信するに至る。

ロシアにユダヤ問題は存在するのだろうか。まぎれもなく存在する、しかもきわめて悪質な形をとって……。ルーマニアでもロシアでも、オーストリアでもドイツでも、ユダヤ問題がきわめて重要な課題として浮上してきている国々ではどこでも、その根本原因が、支配権を得ようとする才能あるユダヤ人たちの策略であることがはっきりわかるだろう。

フォードはさらに自らのユダヤ人観を披露する。

ユダヤ人は世界の謎である。ユダヤ人の大半は貧しいにもかかわらず、世界の財政を支配している。国や政府に縛られることなく世界中に散らばっているにもかかわらず、他のどんな民族も達成したことがない強靭な人種の統一性を示している。ほとんどすべての土地で法律的な制限を課せられているにもかかわらず、多くの王族の蔭の実力者となっている。古代の預言者はこう語った。ユダヤの民は故郷の土地に戻り、そこを中心として世界を支配するだろう、しかし、その前にあらゆる国民から迫害を受けるだろう、と。

フォードと『ディアボーン・インディペンデント』は、「国際ユダヤ人」の脅威を強調した記事によって多くの批判にさらされたが、フォードはその懸念に対して何度も反論した。悪質な新聞記事を掲載したことで、ひどい人種差別主義者との非難を多くの人々から受けたフォードは、被害者のスタンスをとってその矛先をかわそうとした。

一連の記事はすでに手紙や電報、あるいは口頭で多くの反響を得ているが、そのすべてが迫害の嘆きを訴えるものだ。まるでみじめで絶望に満ちた民族に対して、無慈悲でおそろしい攻撃が加えられているとでもいうかのような調子だ。しかし、苦情を訴える手紙の便箋には、実業界の大物であることを示すレターヘッドが印刷されている。抗議してくる人々が属しているのは金融格付けで上位にくる企業ばかりであり、ヒステリックに記事の撤回を求めてくるのも、大きな組織のトップばかりである。そしてその裏には、常にボイコットも辞さないという脅しがある。この脅しによって、アメリカでは実質上、出版物のほとんどすべてのコラムが、ユダヤ問題をまったく議論できない状況に追い込まれている。

アメリカのユダヤ問題を、出版に対する脅しや、ユダヤ人に関していつもきわめて好意的な事柄しか書かないプロパガンダ的な出版物によって隠蔽することは許されない。ユダヤ問題は厳として存在するのであり、プロパガンダのたくみな利用によってその問題を別のものにすり替えたり、脅しによって永遠に沈黙させたりすることなどあってはならない。アメリカ合衆国のユダヤ人が自らに、そして世界中の同胞たるユダヤ人に対して最も資する行動とは、あまりにも安易に「反ユダヤ主義だ」と訴える態度を改めることだろう。

ヘンリー・フォード——無知なアナーキスト

事業において世界に大きな影響を与えたため、ヘンリー・フォードは知性あふれる人間だったと思い込む人が多いが、それは性急な判断というものだ。フォードは狡猾で、無慈悲で、情熱にあふれ、独創的な男だった。しかし、一分野にきわだった才能を示す人間が、他の多くの分野について無知であるということは珍しくない。農家育ちのフォードは学校教育を満足に受けることができず、そのため彼の社会観、世界観は偏狭なものになってしまった可能性がある。ヘンリー・フォードの知性のなさが明らかになったのは、一九一九年、『シカゴ・トリビューン』紙を告訴したときのことだった。

従業員のために労働環境を改善し、自己宣伝を含む販促活動も非常に熱心に行ったこともあり、フォードに対する世間のイメージはすばらしいものだった。多くのコラムニストや著作家にもてはやされた結果、彼は無条件に愛されなければ満足できない状態になっていった。そんな中、メキシコにおけるアメリカの軍事介入についてフォードが反対意見を表明すると、『シカゴ・トリビューン』が批判記事を載せ始めた。『シカゴ・トリビューン』は州兵の徴集を支援する立場を示し、徴兵された自社の従業員には雇用を保持すると明言したが、平和主義者のフォードはそのような行動をとることを拒んだ。「ヘンリー・フォードはアナーキストだ」という見出しの記事は、フォードを「無知な理想主義者」呼ばわりし、無政府主義者でアメリカの敵だと主張した。この非難に激怒したフォードは、法廷で勝負をつける決断を下す。

フォードは『シカゴ・トリビューン』を訴え、一〇〇万ドルの損害賠償を求めた。裁判は一九一九年の夏に始まり、原告、被告の弁論に一四週間を要した。裁判が進む中で、フォードの無知と性格的な欠陥が明らかになった。ジャーナリストのジョン・テベルは、フォードの証言についてこう述べている。「彼は事実上読み書きができず、その浅薄な世界観はクラッカー・バレルの類と言ってもよい」。これはフォードの知性についてのきわめて侮辱的な評語である。「クラッカー・バレル」というのは、一九世紀末に地方の雑貨店によく置かれていた、クラッカーを入れた樽のことで、そこから、「雑貨店に集まって議論をする単純素朴な田舎者」の意味で使われるようになった。現代の言葉で言えば、職場のゴシップを話し合う場所の象徴として使われる「ウォーター・クーラー」になるだろうか。いずれにせよ、クラッカー・バレルとは、他愛もないおしゃべりに明け暮れる無知な田舎者、ということである。

『シカゴ・トリビューン』の弁護人であるエリオット・K・スティーヴンソンは、フォードがどれだけ無知であるかを白日のもとにさらすため、法廷でアメリカ史に関する質問を行った。『シカゴ・トリビューン』がフォードの知性に対して下した見解が正当なものだと示すことが狙いだった。裁判の本筋とは関係のないばかばかしいやりとりが交わされる中で、フォードの無知が明らかになっていく。彼は、アメリカ独立戦争が一八一二年に起こったと信じ、その独立戦争で裏切りをはたらいたことで悪名高いベネディクト・アーノルドを作家だと思っていた。フォードの証言のコピーが印刷されて裁判所周辺で売られ、人々の嘲笑の的になったという話もある。しかし、フォードはこのようにして世間にさらされた無知を利用して、今度は意図的に無知をよそおう作戦に出た。眼鏡を忘れたので目がしょぼしょぼすると言って、陪審員団の前で文書を読むことを拒んだのである。陪審員団に読み書きができないという印象を与えたままでよいのかと問われると、「はい、それでかまいません」と答えたと言われている。尋問は八日にわたったが、フォードは裁判の進行に関心を失って法廷を歩き回り、そわそわしながら窓の外を眺めたりすることも多かった。法廷が彼にとって場違いであることは明らかだった。

農家が多数を占める陪審員団が最終的に下した判決こそ、農家出身のヘンリー・フォードにぴったりだったと言ってよいだろう。彼らは、一〇時間の審議ののち、新聞社に対してフォードに六セントの賠償金を支払うよう命じたのである。

ヘンリー・フォードと『ディアボーン・インディペンデント』が告訴される

一九二七年、ユダヤ人の弁護士で農業組合を設立したアーロン・サピロは、『ディアボーン・インディペンデント』にあからさまな反ユダヤ的記事を何年も掲載し続けた名誉毀損（きそん）の罪でヘンリー・フォードを起訴した。『ディアボーン・インディペンデント』がこの種の罪状で起訴されるのは三度目だったが、実際に裁判に持ち込まれたのはこれがはじめてだった。フォードは法廷で証言しようとせず、自動車事故をよそおって入院してこれを逃れようとした。結局、おざなりの謝罪文を発表して『ディアボーン・インディペンデント』を廃刊することにした。一九二七年一二月三一日発行のものが最終号となった。

『国際ユダヤ人』のタイトルの下、『ディアボーン・インディペンデント』や一連の小冊子に掲載されたユダヤ人に対する中傷に関して」と題されたフォードの謝罪声明は一九二七年六月三〇日に公表されたが、ここでフォードは、反ユダヤ的な記事の責任を部下に押しつけ、人種差別的な新聞の黒幕だった事実を実質上否定した。

最近、私は一九二〇年以来『ディアボーン・インディペンデント』に掲載されてきた一連の記事についてしばしば思いめぐらしてきました。記事のいくつかは小冊子となって『国際ユダヤ人』のタイトルで再出版されています。これらの出版が私の名において行われたことは事実ですが、多忙な私がこういった出版物に個人的な注意を払ったり、その内容を熟知していたりすることが不可能であることは言うまでもありません。したがって、これらの出版物の管理と方針は、私が担当を任せ、暗黙のうちに信頼していた部下に責任があるということになります。

あつかましくもフォードはさらに、自分はユダヤ人に対して同情的な人間なのだと思わせるような論を展開していく。自ら経営する新聞が自分の社説を掲載し、それをまとめて書籍の形にして販売代理店に流通させ、世界中の多くの読者の目に触れさせたことなどまったく感知するところではなかったと主張するのである。

大変遺憾なことに、多くのユダヤ人、特にこの国のユダヤ人は、反ユダヤ主義をあおるものとしてこれらの出版物に怒りを表明するばかりでなく、私をユダヤ人の敵とみなしています。最近相談を持ちかけた信頼する友人たちが本心から語ってくれたところでは、『ディアボーン・インディペンデント』に断続的に掲載され、前述の小冊子の形で再出版された記事の多くに含まれる、個人あるいは民族全体としてのユダヤ人に対する中傷を読めば、あらゆるユダヤ人が、いわれのない非難によって精神的苦痛を抱き、私に対して怒りを覚えるのもまったく当然ということでした。

フォードは自ら著したおぞましい反ユダヤ的な書籍のうち残存するものを焼却するよう命じ、この書籍はその後再版されることはなかった。しかし、残念ながら、この時点でフォードはアメリカ文化の象徴としてその権威と影響力をほしいままにし、人種差別的な信念を正当化してしまっていた。『ディアボーン・インディペンデント』が廃刊となったこともあって、多くのユダヤ人団体はフォードの謝罪を心からのものと認めたが、フォードをよく知る人物の話からのちに明らかになったところでは、彼は心のうちでは偏狭な考えをかたくなに抱き続けていた。ナチ党とおおっぴらにかかわっていたことにもその片鱗をうかがうことができるだろう。

ヘンリー・フォード、ヒトラー、ナチ党

フォードがアメリカの自動車市場を席巻したことにより、一九二〇年代後半、アメリカ合衆国の自動車の売上は、フォード、ゼネラルモーターズ、クライスラーの「ビッグ3」がほぼ独占することになった。アメリカ市場は重要な位置を占めるものではあったが、それがほぼ飽和状態に達すると見るや、ビッグ3は世界の他の地域に目を向け始めた。ドイツもその一つだった。フォードは一九一二年にはドイツに足掛かりを作り、ハンブルクで部品を製造し始めた。その後ベルリンでも製造を開始し、一九二六年四月一日にはドイツ産のはじめてのT型フォードが組み立てられた。一九三一年には製造施設をケルンに移してライン川の土手に工場を建設し、イギリスのマンチェスターやダグナムなど他のフォード社の工場との水路の中継点とした。

一方、若きアドルフ・ヒトラーはこのころ、獄中にあって読書に励み、世界や社会について思いめぐらしていた。彼が読んだ本の中には、アメリカで最も裕福な名士の一人として認められて

いる人物の著作も含まれていた。その人物の名は、ヘンリー・フォードである。ヒトラーは『国際ユダヤ人』全四巻を手に取り、高い評価を下していた。

ヒトラーが悪名高いマニフェスト『わが闘争』を出版したのは、一九二五年七月一八日のことである。七二〇ページのこの浩瀚な書籍は、ヒトラーが「ミュンヘン一揆」と呼ばれるクーデターを起こして服役していたときに口述筆記されたものだ。ヒトラーとナチ党は、武力によってドイツの政権を強奪しようとして失敗したものの、のちに政治的策謀によってその野心を達成することになる。服役中のヒトラーの生活は、人々が想像するようなみじめなものではなかった。ナチ党の指導者としてすでにドイツ民衆のヒーローのような存在になっていたヒトラーは、居心地よい宿泊施設を用意されるなど特別な待遇を受け、獄中で多くの訪問者を歓待していたのである。

『わが闘争』では、ドイツの未来像や文化に対する見解が語られているが、中でも最も重要なのが、ヒトラーのその後の人生を決定づけることになった反ユダヤ主義政策である。そこでは、ヒトラーが劣った民族と信じたユダヤ人に対して、大虐殺という選択肢をとる可能性があることが早くも示唆されている。『わが闘争』は、ヘンリー・フォードの人生においても大きな意味を持つものだ。フォードは、この書物の中でアメリカ人として唯一名前を挙げられた人物なのである。ヒトラーは、『ディアボーン・インディペンデント』のユダヤ陰謀論に関する記事にはっきり言及し、フォードがアメリカ経済・産業に対するユダヤ人の支配に果敢に立ち向かっているとして、

「偉大な男フォードは、(ユダヤ人たちの)憤激に対抗し、完全な独立を維持している」とたたえた。『わが闘争』にこのような形で言及されているということは、フォードが喧伝した反ユダヤ的なレトリックがいかに悪質で危険なものだったか、そしてそれがどれほど広い波及力を持ったかを示している。フォードの反ユダヤ主義がヒトラーに与えた影響の重要性については、いくら強調してもし足りないほどだ。これほど強力で破壊的な影響力を与えたものは、他に例があるまい。

ヒトラーとフォードの結びつきが『ディアボーン・インディペンデント』の記事と『わが闘争』内での言及にとどまるものだったとしても、フォードの名声を汚すには十分だろう。しかし、この話にはまだ続きがある。ヘンリー・フォードと息子のエドセルは、第二次世界大戦で倫理的に問題のある役割を果たし、今でも議論の的になっているのだ。戦時中、ドイツのフォード社の工場の管理は名目上ドイツの支配下にあった。その時期にアメリカから経営に関与するのはほぼ不可能だったであろうということを考えれば、それは当然のことだ。しかし、ゴムのような必需品が必要なときには、アメリカのフォード社が関与することになる。

ドイツ政府はヒトラーとナチ党を警戒していなかったわけではない。実際、ヒトラーが完全に政権を奪取する一〇年以上前から、ドイツ政府はすでにヒトラーと彼の大衆煽動的な政治活動に対処しようとしていた。ナチ党には何かうさんくさいところがあるという気持ちを抱くドイツ国民も存在した。一九二二年の『ニューヨーク・タイムズ』紙には、「ベルリンでフォードがヒトラーを支援しているといううわさ」という見出しが躍っている。この記事には、アメリカ駐ベルリン大使が、ドイツの有名な新聞『ベルリン日報』に掲載された記事に注目して懸念を示した、という内容が詳述されている。『ベルリン日報』の記事とは、フォードがヒトラーに財政的な支援を行っていると報じたものである。ヒトラーがミュンヘンで贅沢な生活を送り、中尉たちに高給を払い、ナチ党が潤沢な資金を持っていることについては、ドイツ国民からの寄付だけではとても間に合うものではない、と人々は感じていた。記事はさらに、ヒトラーと部下たちが二台の最新自動車を運転していたという目撃談や、ミュンヘンのヒトラーの机の隣の壁にヘンリー・フォードの大きな肖像画がかかっていたという証言、ヒトラーの応接室にはフォードの著作の独訳が何冊も置かれている、といった話を掲載している。

『デトロイト・ニュース』紙の記者アネッタ・アントナが一九三一年にヒトラーに行ったインタビューには、ヘンリー・フォードの名が登場する。なぜ机のそばにヘンリー・フォードの肖像画を飾っているのかとアントナが尋ねると、ヒトラーは「ヘンリー・フォードは私にインスピレーションを与えてくれたからね」と語った。

一九三八年、ヘンリー・フォードはまたしても物議をかもすことになる。ナチ党が外国人に与える最高位の勲章、大十字ドイツ鷲勲章（しゅうくんしょう）を受章したのだ。大十字ドイツ鷲勲章の派手なメダルは、鉄製の十字架の四方を四つのナチスの鉤十字が取り囲むデザインだった。この出来事は『ニューヨーク・タイムズ』などの新聞で大きく報じられたため、アメリカではフォードに反発する動きも出てきた。フォード社の工場の外には、「フォードはなぜナチスのメダルをもらったのか」といったプラカードを持った抗議者たちの姿が見られた。アメリカ合衆国とドイツの外交問題として話し合われることも何度かあった。騒動は一時的なものにとどまったが、世間に与えた影響は大きかった。

フォードと強制労働

ドイツのフォードの製造工場は、一九三九年、フォード・ヴェルケという名称を冠することになった。第二次世界大戦中、フランスとドイツのフォード社の製造施設は、ナチス・ドイツ軍のために乗り物や武器を生産したばかりでなく、そのために強制労働者も利用した。実際、強制労働者の雇用は第二次世界大戦が始まるかなり前、アメリカのフォード・モーター社からフォード・ヴェルケが独立する前から行われていた。ナチスが支配するドイツでは、強制労働は珍しいことではなかった。故郷を占領された人々がさまざまな地域から強制労働者としてドイツに連行され、ナチスの戦時体制のために七五〇万以上の人々が何の補償もなく働かされたと言われている。

一九九八年、エルサ・イワノワという女性により、ニュージャージー州である訴訟が起こされた。イワノワは、故郷から引き離されてフォード・ヴェルケで働かされた生存者の一人だった。裁判に出廷したフォード・モーター社側は、イワノワの主張と強制労働の事実を認めたものの、アメリカ本社には責任がないとしてはねつけた。しかし、当時の実情はと言えば、第二次世界大戦が始まったあともなお、アメリカのフォード・モーター社はフォード・ヴェルケの株の大半を所有していた。訴訟が一九九九年に棄却されたため、この裁判は原告側の満足いく結果にはならなかった。この種の訴訟を起こすには時すでに遅く、残念ながら時効を迎えていたのである。

フォードの遺産

一九四七年四月七日にヘンリー・フォードが息を引き取ったとき、一〇万人以上の市民が葬儀に参列し、伝説的なヘンリー・フォードの遺骸を一目見ようと何時間も列をなして待った。今日、ヘンリー・フォードは、影響力のある実業家、歴史を変えたアメリカの象徴的人物として記憶されている。そのブランド名の背後にあるきわめて人間くさい欠点は忘れ去られ、歴史上の不滅の英雄としてまつり上げられてしまっているのである。

一九四五年にヘンリー・フォードの孫、ヘンリー・フォード二世が社長になると、フォード・モーター社のイメージは変わり始める。ヘンリー・フォード二世が社長として最初にとった措置の一つが、フォードのサービス部のトップで、ヘンリーのうさんくさい用心棒を務めていたハリー・ベネットを解雇することだった。ヘンリー・フォード二世はさらに、経験豊富な役員で周囲を固め、典型的なワンマン体制だった会社を永続的な信頼できる会社に変革した。一九五六年、ヘンリー・フォード二世の主導により、フォード・モーター社は株式公開企業となった。

現在のフォード・モーター社は、一世紀前とはまったく異なる会社に生まれ変わっている。そのことを最もよく示すのが、本書執筆時点で、フォード・モーター社の社長兼ＣＥＯをマーク・フィールズというユダヤ人実業家が務めていることだ（マーク・フィールズは二〇一七年に退任している）。ヘンリー・フォードの遺産の暗い影ははるか昔のものとなり、技術革新の記憶だけが残っている。現在のフォード・モーター社を、憎悪と偏狭に満ちた創業者の過去を隠そうとしていると言って非難するのは酷というものだろう。

4章 アディダスとプーマ ナチス戦時体制の歯車

靴をファッションとして重視する人が増え始めている。限定販売の靴やとっぴな新作靴に大枚をはたく人も出てきている。スニーカーに熱中するあまり、限定販売の新作スニーカーを求めて、数時間、いや、数日にもわたって列をなして待つ人もいるほどだ。靴のメーカーとして思い浮かぶブランド名はいくつかあるだろうが、その中でもアディダスとプーマほど道徳的に問題のある過去を持つものはない。この二社の創業者は兄弟同士であり、ナチスに忠誠を尽くしながら富を築き、最後には憎しみ合うことになった。

ダスラー兄弟の若年期

ダスラー兄弟は、ドイツのヘルツォーゲンアウラッハという古風な趣のある町に二歳違いで生まれた。この町は、バイエルン州ミッテルフランケンのアウラッハ川のほとりに位置しており、歴史的に特筆すべき点のない静かな町だったが、ダスラー兄弟によって、アディダスとプーマという靴の巨大メーカーの本拠地としての名声を獲得することになった。プーマの創業者である兄ルドルフは一八九八年三月二六日生まれ、アディダスの創業者の弟アドルフは一九〇〇年一一月三日生まれである。「アディダス」という社名は、アドルフのあだな「アディ」と、名字の「ダスラー」を組み合わせたものだ。二人は、父クリストフ・フォン・ヴィルヘルム・ダスラーと母パウリーネ・ダスラーのもとに生まれたが、その後に誕生した弟フリッツと妹マリーとともに、四人きょうだいとして育った。

二人のうちでまず頭角を現したのは、勤勉な弟のアディのほうだった。一九二〇年、母が洗濯をするのに使っていた小屋に作業場を設け、靴作りを始めたのだ。このときアディは、第一次世界大戦での兵役から復員したばかりだったが、故郷で自らの将来を切り開こうとしたのである。父のクリストフ・ダスラーは家族を扶養するため靴工場で働いていたので、靴を製造するというのはアディにとって自然な進路だったにちがいない。そもそもヘルツォーゲンアウラッハはバイエルン地方でも靴の製造が盛んな地域であり、一九二二年には一〇〇以上の製靴業者が存在していた。アディはやがて、陸上競技用スパイクシューズの金属スパイクを製造していた鍛冶屋のゼーライン兄弟と提携し、クリストフも息子の取り組みを支援した。

やがて兄ルドルフもアディに協力することになり、一九二四年七月一日、二人は「ダスラー兄

ダスラー兄弟商会（出典：アメリカ議会図書館）

弟商会」という製靴工場を設立した。兄弟の目標は、あらゆる競技者に高品質の靴を作ることだった。第一次世界大戦後のドイツにおいて、独立して事業を始めることは勇気ある行動だったと言ってよい。兄弟はお互いを補い合う理想のコンビのように思われ、アディがおだやかな物腰の思慮深い職人肌の技術者であるのに対し、兄のルドルフは人といっしょにいることを好む外向的なセールスマンだった。ルドルフは人好きのする性格で、事業の商業的な面を見事にこなした。

年長のルドルフが自分の意見を通すことが多く、支配権を握っていたきらいはあるものの、ダスラー兄弟は互いに理解し合い、仲良くやっていた。二人は子供のころよくいっしょにスポーツをして遊び、そこにはいつも健全なライバル関係と競争心があった。年下のアディは、ルドルフに勝てる分野を見つけたいと思っていたが、それがスポーツだった。ルドルフがどんなに努力しても、スポーツの才能ではアディに勝てなかった。アディにはスポーツをするために生まれついたようなところがあり、それがスポーツ・シューズの革新的なデザインの創造につながっていった。

スポーツや肉体的な面ではアディにかなわなかったかもしれないが、ルドルフは世渡りのうまい男だった。事業を始めてすぐに家庭を持ち、一九二八年五月六日にフリードル・シュトラッサーと結婚、アーミンとゲルトという二人の息子をもうけた。いつもパイプをくわえていたルドルフは、女性人気も高かった。いきでやわらかな物腰の彼は浮気をすることも多く、女たらしとして知られたが、妻のフリードルにとってこれがおもしろいはずもない。フリードルは夫の浮気に気づいていたが、ルドルフはお遊びを休暇中に限るなどしてあからさまなことはせず、夫婦が正面衝突することはなかった。しかし、ルドルフにも不注意な点はあった。フリードルの妊娠中に浮気が露見し、妻の心に深い傷を負わせたのである。

女性の影が絶えないルドルフとは対照的に、アディはまったく女っ気がない生活を送っていたが、その彼もケーテという女性と出会い、一九三四年三月一七日に結婚した。二人は息子一人、娘四人の計五人の子をもうけることになる。ダスラー兄弟の家族はどちらも故郷の町で指折りの富豪となり、二つの家族はしばらく折り合いよくやっていた。ナチス支配下で大成功を収めた兄弟は、急速な成長に対応するためにさらに大きな工場を次々と設立していった。ルドルフの妻のフリードルは経理担当として事業に積極的にかかわり始めたが、アディの妻ケーテのほうはそのような日常的な作業にはあまり興味を示さなかった。

ケーテも事業にかかわることを期待されたものの、アディと結婚したとき彼女はまだ一七歳で、最初の子供が生まれて以後は仕事に出ることを拒んだ。ケーテには労働倫理というものが欠けていたが、会社で夫のアディがどのような役割を担うべきかという点については一家言を持っていた。アディがのちに独立することになったのも、ケーテの感化によるところが大きい。このように対照的な面を見せる両家族だったが、やがてともに工場の隣の共同住宅に引っ越して同居することになる。家族同士の仲は次第にうまくいかなくなり、兄弟も互いに敵意を抱き始めた。もっとも、この初期のいざこざはお互いの思い込みによるところが大きかった。アドルフ一家が共同住宅の一階に、ルドルフ一家と兄弟の両親が二階に住んだが、同居生活と仕事のストレスによって家族内の不和と口論はエスカレートしていった。

ナチス・ドイツ

一九二八年のアムステルダム・オリンピックで、ダスラー兄弟がランニング・シューズを提供していたリナ・ラトケがドイツに陸上競技ではじめての金メダルをもたらし、兄弟の名声向上に一役買った。

アドルフ・ヒトラー率いるナチ党が一九三三年にドイツの政権を奪取すると、ダスラー兄弟の運命は変わり始める。アディもルドルフもナチ党員となったが、ドイツの経営者、少なくとも事業を続けたいと思う経営者にとっては、これは珍しいことではなかった。第一次世界大戦に従軍したアディは、ドイツ社会・経済を再建するというヒトラーの公約に強く共感した面もあったのだろう。勤勉なダスラー兄弟は、ドイツを席捲するアーリア人至上主義の新たな時代に商機を見出した。兄弟の故郷のヘルツォーゲンアウラッハにはナチスの鉤十字がいたるところに掲げられ、彼らもまた、その動きに乗り遅れるわけにはいかないと思ったのだ。一九三三年五月、会社にとって最善の選択であるという判断のもと、二人は公式にナチ党員となった。のちにこの判断を後悔することになったとはいえ、これによって彼らはナチ党員として政府から大きな利益を受けられるようになった。ナチスのほうでも、アーリア人の優位性を肉体面で喧伝するために推進していたスポーツの分野で、この若き兄弟を利用したいと考えていた。

家族内の不和がすでに始まっていたとはいえ、一九三六年夏の時点では、新たな事業が次々と舞い込み、家庭問題はしばしば棚上げされた。この年、ベルリンでオリンピックが行われることになっていたが、これはダスラー兄弟にとってチャンスだった。彼らはアメリカの陸上選手ジェシー・オーエンスに早くから目をつけ、自社のカスタムメイドのランニング・シューズを提供するため、彼に近づくチャンスをうかがっていた。

世界記録を作った200メートル走でスタートするジェシー・オーエンス（1936年、出典：アメリカ議会図書館）

ヒトラーがオリンピックに力を注いだため、世界がベルリン・オリンピックに注目しており、ダスラー兄弟としては自社の製品を宣伝する絶好の機会だった。ヒトラーは、ナチス・ドイツの偉大さと力を誇示する個人的なプロパガンダのツールとしてオリンピックを利用するつもりだった。オリンピックに神秘性と威厳を付け加えるため、ナチスはさまざまな儀式的演出をほどこしたが、これは今日に至るまでオリンピックに受け継がれている。聖火リレーや派手な開会式はどちらもナチスが始めたものだ。一九三六年のオリンピックの多くの映像には、鉤十字の旗が背景にはためく中でナチス式の敬礼を行う群集の不気味な姿が映し出されている。

ダスラー兄弟はひそかにオリンピック村に入り込んでオーエンスに近づき、世界で最も重要なスポーツの祭典で使用するのに最適なのは自社の革新的なシューズだと説得した。実際、オーエンスはアディの手作りの特注スパイクつきシューズに感銘を受けた。スパイクは、リーボックの創業者ジョセフ・ウィリアム・フォスターが一八九五年にイギリスで発明して以来、市場に出回り始めていた。ダスラー兄弟のシューズが気に入ったオーエンスは、彼らがシューズを作ることを許可した。

結局、ジェシー・オーエンスはアメリカに四つの金メダルを持ち帰った。この圧勝によってオーエンスは一躍有名人となり、アーリア人種の優越を示すというヒトラーの野望はもろくも崩れ去った。ヒトラーのお気に入りの建築家アルベルト・シュペーアは、ヒトラーがオーエンスに激怒した様子を次のように回想している。ヒトラーは「アメリカのすばらしい黒人陸上選手、ジェシー・オーエンスが次々と勝利を収めることにいら立ちを隠せなかった。ヒトラーは肩をすくめてこう語った。『ジャングル出身の先祖を持つやつは原始的だからな。文明化した白人より骨格がしっかりしているあいつらは、今後オリンピックから排除すべきだ』」。ダスラー兄弟の靴は、オーエンスの勝利によって言わばお墨付きを与えられ、将来は確約された。ジェシー・オーエンスにシューズを提供するというのは、控えめに言っても大胆な行動だった。総統ヒトラーが気に入るようなことではなかったからだ。ダスラー兄弟の事業はこの出来事によって大きく成長し、オーエンスは二〇世紀を代表する陸上選手とみなされるようになった。以後、ダスラー社は広告でこの事実を強調することになる。

オリンピック直後から、ナチス・ドイツは領土拡大の野心を示し始め、全面戦争に乗り出した。第二次世界大戦が激化するにつれ、ドイツの経済状態も変わり始めた。ヒトラーがヨーロッパに恐怖を与え続けるには、ドイツ全体を一つの軍需産業化するほかなかった。「総力戦」が経済を支配し、あらゆる製造業が贅沢品から手を引いて戦争に関連するさまざまな製品に注力し始めた。一九四三年一二月、ヒトラーはすべての民間事業の凍結を公式に命じ、軍事利用に供した。ダスラー兄弟もスポーツ・シューズの生産をやめ、ヘルツォーゲンアウラッハの工場で、ナチスの軍人のブーツや、パンツァーシュレック用のバズーカ砲を製造し始めた。パンツァーシュレックとは、ドイツの対戦車ロケット擲弾(てきだん)発射器で、前線で切実に必要とされている武器だった。

アディとルドルフは戦時下ドイツの製造業にとってなくてはならない人材だったが、戦争が長引いて激化する中、ともに四〇歳を超えているにもかかわらず、彼らまでもが徴兵されることになった。アディは一年足らずで除隊となって工場に戻ることができたため、工場の生産は滞りなく続けられた。一方、ルドルフはアディほど幸運ではなく、ドイツの軍事政権にさらに従事しなくてはならなかった。悪名高いナチスの秘密警察ゲシュタポに加わったという話もあるが、戦後、ルドルフはいったんこれを肯定する発言をしたものの、のちに否定した。

兄弟の分裂――二つの会社

ダスラー兄弟がなぜそれぞれ別の道を歩むことになったか、その状況に関してはさまざまな説が入り乱れている。一つ確かなのは、二人が一九四八年に袂(たもと)を分かち、以後和解することはなかったということだ。ともに事業にたずさわることで起こる複雑な状況や、考え方の違いなどにより、二人の仲は永遠に引き裂かれたのである。

連合国軍によるドイツ占領が始まり、一九四五年、戦火はヘルツォーゲンアウラッハにまでおよんだ。連合国軍がヘルツォーゲンアウラッハを空爆したとき、従軍中のルドルフは故郷の町にいなかったが、彼の家族はそこにいた。サイレンが鳴り、爆弾が投下され、町の大部分が破壊された。ナチスはイギリスに同様の空爆を行っていたが、今度はドイツに同じ運命がめぐってきたのだ。ナチスは降伏寸前で、ダスラー家は戦争のストレスと緊張によって崩壊と分裂の危機を迎えていた。伝わる話によれば、アディ一家は、フリードルとその子供たちとともに地下の防空壕に避難するのが常だったが、あるとき、フリードルが子供と避難しているところへ、アディとケーテ、そして夫妻の息子が遅れて入ってきた。アディは怒りを爆発させて地下室を歩き回り、「いまいましいブタどもが」と言った。フリードルは、アディがこの言葉で指しているのは連合国軍ではなく、自分と子供たちだと確信した。この苦難のときをルドルフなしで生き抜くのはフリードルにとってつらい経験だったにちがいなく、不安にかられるのも無理はなかった。いずれにせよ、この出来事は二つの家族の間の緊張感をますます高めることになったと言われている（この出来事は一九四三年、ルドルフがまだヘルツォーゲンアウラッハにいるときに起きたもので、悪態をついたアディにルドルフが怒りを募らせた、とする説のほうが一般的）。

ダスラー兄弟はお互いにないところを補い合う関係を築いており、そのためアディとルドルフは仕事の上でもそれぞれが分担して作業にあたっていた。ところが、強烈な個性を持つケーテと結婚したとき、アディはそこに愛する兄に代わる存在を見出した。不幸にも、ルドルフとケーテはうまが合わなかった。ルドルフがケーテに対して一方的に命令を下すような態度をとることも多く、二人は事業をめぐって衝突を繰り返した。

戦後の危機脱出

一九三六年のオリンピックに際してダスラー兄弟が下した危険をともなう決断は、ナチス崩壊後に彼らを助けることになる。第二次世界大戦の終わりが近づいたとき、ルドルフはようやくヘルツォーゲンアウラッハに戻ることができた。ドイツへと進軍した連合国軍は、ナチスのために武器を製造していた工場を破壊していった。一九四五年四月、アメリカ軍はヘルツォーゲンアウラッハに狙いを定めたが、伝えられるところでは、部隊が町に乗り込む中、アディの妻のケーテが機転を利かせて事業を崩壊の運命から救ったという。アメリカ軍はダスラー兄弟の工場の前まで戦車を進め、今にも破壊せんばかりだったが、そこへ登場したのが、穏やかで親切そうな顔立ちのケーテ・ダスラーだった。ケーテは状況によっては愛嬌をふりまいて人を魅了するすべを身につけた女性であり、この運命の日に工場の外で経験した瞬間は、彼女の人生でも最も危急のときだっただろう。ケーテは、この工場が作っていたのは靴だけで、ナチスの戦時体制とは関係ない（もちろんそれは真実とはほど遠かった）ということをアメリカ軍兵士たちに信じさせることに成功し、工場は存続を許されたのである。

ダスラー家の危機はこれで終わらなかった。第二次世界大戦後のドイツは平穏でいられる場所ではなかった。連合国軍は、ナチス政権とかかわった人間を尋問して多数の市民を投獄したが、アディもアメリカ軍の尋問を受けることになったのだ。アディは、オリンピックでジェシー・オーエンスなどのアメリカ人選手にシューズを提供していた事実をたくみに持ち出してアメリカ軍を魅了し、結局釈放されて自由の身となった。

ダスラー兄弟はもはやこれまでどおり事業を共同で行う状況にはなかった。どちらも自分が経営権を握りたがり、その権力の座には一人しかつくべきではないと感じていたのだ。戦後のドイツで会社を再建するのはどちらかを決定しなければならない。ルドルフもまた、非ナチ化に関してアメリカ軍から尋問を受けたが、戦時中の経歴が問題となって、アディのようにうまく言い逃れることはできなかった。アディがナチス政権のために軍役についたのは一年足らずだが、ルドルフはドイツが降伏するまでナチ党の一員として活動していたという事実が大きく影響したのである。ナチスとのかかわりについて尋問されたとき、ルドルフは蛮勇をふるって、ナチスの秘密警察ゲシュタポに所属していた、と答えたが、のちになってこの発言を撤回する。このような衝動的な行動からは、戦争で祖国が壊滅的な敗北を喫したことにやりきれない思いを抱く一人の男の姿が浮かび上がってくる。ルドルフが弟よりも戦争に感情移入していたことは明らかだ。

ルドルフはその後、アメリカ軍の捕虜収容所に送られた。彼は収容中に、なぜこんな仕打ちを受けるのかと思いめぐらし、ある疑惑を抱くようになる。アメリカ人から、おまえは近しい人間から密告されたんだと言われ、アディかその妻のケーテが、あるいは二人が共同で陰謀をめぐらしたのではないかと考え始めたのだ。疑惑にとりつかれたルドルフは、この恨みを一生抱えることになる。そしてこの恨みこそが、ダスラー一家、ひいては製靴業界の未来を永遠に変えたのである。ルドルフはもともと義理の妹のケーテを信用していなかったから、彼女が黒幕として自分を陥れたと考えるのもそれほど不自然なことではなかった。いつも裏でこそこそ動き回り、会社を支配しようとしていると感じていたのである。もちろん証拠はなかったが、ルドルフにとってそんなことはどうでもよかった。彼はアメリカ軍に、自分の抑留は虚偽の告発によるものだと主張し、捕虜収容所で一年過ごしたあとようやく解放され、家族の待つ故郷ヘルツォーゲンアウラッハに戻ってきたのだった。

ルドルフが不在にしている間、アディは新たな事業のチャンスを求めた。アメリカ人のために野球やバスケットボールで使うシューズを製造し始め、これによってダスラー兄弟商会は戦後復興期の困難な時代を生き残ることができた。はじめてアメリカのスポーツ用品が主要商品となり、ルドルフが不在の間はアディとケーテがすべてを取り仕切った。ルドルフの妻フリードルは無力にたたずむしかなく、夫の持ち株を保持するのがせいいっぱいだった。靴職人としても進歩を見せたアディは、現代スポーツ用品の権威になった。

ルドルフが収容所から戻ったとき、故郷はすっかり様変わりしていた。ダスラー家の邸宅はアメリカ軍に接収され、家族は工場内に住んでいた。狭苦しくごたごたした居住環境によって、二家族間の感情的な衝突や口論はますます悪化していった。兄弟は資金から経営権まで、あらゆることをネタに争った。アディがアメリカ軍によって再尋問を受けるという思いもよらない出来事が起こったとき、二家族の決裂は決定的となった。一度無罪放免になったにもかかわらずこのような尋問を受けるということは、アディの非ナチ化に関して誰かが当局に密告したとしか考えられなかった。アディに恨みを抱くルドルフが、弟に対する非難を当局に流し続けていたのである。アメリカ軍は、兄弟間の不和が原因の騒動だとすぐに見抜き、まもなくアディへの告発を取り下げた。

このような状況で事業を共同経営できるはずもなく、一九四八年、ダスラー兄弟は会社を二分することに決めた。この決定は従業員にもすぐに告知され、分離が実行に移された。ルドルフは全従業員を集めて兄弟が二つの異なる会社を創業することを知らせ、両方の会社で働くことはできないから、兄弟のどちらかを選んでほしい、と告げた。従業員の三分の二がアディを選んだが、彼らは主として靴の製造にたずさわる社員だった。営業を担当していた社員は大半がルドルフについた。

会社分断のニュースは従業員に衝撃を与え、その真の原因をめぐってさまざまなうわさが飛び交った。最も頻繁に人々の口の端にのぼったのは、ルドルフと義理の妹のケーテが不倫関係にあったというものだ。従業員たちは、セールスマンにつくべきか、はたまた発明者に従うべきかという大きな決断を迫られた。兄弟は資材や機械をそれぞれ分け合い、五〇〇メートルと隔たっていないところに競合するシューズメーカーを――アディは「アディダス」を、ルドルフは「プーマ」を――創業した。地元の住民もこの争いに巻き込まれた。どちらの会社もそれぞれのサッカーチームを作り、激しいライバル争いを繰り広げた。地元のパブで飲むときでさえ、両社の社員は同じテーブルに座ろうとしなかった。このような敵愾心が、会社への極度の忠誠心によるものなのか、それとも敵対する会社の社員といっしょにいるところを見られて解雇されることをおそれてのものなのかは、いかんとも判断しがたい。

二人の兄弟の不和、そして二つの家族の骨髄に徹する恨みは、兄弟の死まで続いた。そして、二〇〇九年、両社は、一九四八年の創業以来はじめて、アディダスとプーマが共同して活動を行うというプレスリリースを発表した。国連が定める「国際平和デー」を推進する非営利団体ピース・ワン・デイの活動を共同で支援し、ここにようやく和解が果たされたのだった。

5章 シャネル ヒトラーの魅惑的なスパイ

そう、記者たちにいろいろ聞かれるんです。たとえば「ベッドでは何を着ていますか？　パジャマの上だけですか？　パジャマの下だけですか？　ガウンですか？」って。だから、私はシャネルN°5と答えました。だって、本当のことだから……それに、「ヌード」とは言いたくなかった。でも真実なんです！

マリリン・モンロー

ココ・シャネルの名はファッションとオート・クチュールの代名詞となり、彼女の死後も、そのブランドは不朽の名声を保ち続けている。シャネルは、歴史上最もすぐれたファッション・デザイナーとみなされる一方で、最も悪名高い人物の一人でもある。その名は、衣服だけでなく、宝石やハンドバッグ、そしてもちろん香水にも冠されており、彼女の最高傑作であるシャネルN°5は、これまでで最も人気のある、最も売れた香水の一つだ。シャネルは野心にあふれた強気な女性で、多くの分野で先駆的な役割を果たしたが、同時に、悪意ある恐ろしい人物、ナチスを支持した人物としても広く知られていた。しかも、実際にナチスのスパイを務めていたのだ。

ココ・シャネルの若年期

ガブリエル・〝ココ〟・シャネルの子供時代は苦難に満ちたものだった。ガブリエルは、一八八三年八月一九日、フランス、メーヌ＝エ＝ロワール県ソミュールのプロヴィダンス修道女会の慈善病院で生まれた。母のウジェニー・ジャンヌ・ドヴォルは救貧院で洗濯婦として働き、父のアルベール・シャネルは行商人だった。ガブリエルが生まれた家庭の貧窮は見過ごせない事実で、その後の彼女の人格形成に大きな影響を与えた。

シャネルが生まれたソミュールは、強固な自治体制が敷かれていたという点で、アメリカの地方都市にとてもよく似ていた。ロワール川とトゥエ川に挟まれ、ブドウ畑に囲まれたソミュールは、ワインで有名なシャンパーニュ地方に隣接し、おいしいワインを産出することで広く知られていた。この地方は数千年の間にさまざまな変遷をたどってきた。スカイラインに印象的な輪郭を刻むソミュール城は、一〇世紀にノルマン人の侵攻を食い止めるための要塞として築かれ、一度は破壊されたものの、のちにイングランド王ヘンリー二世によって再建されたものである。ナポレオン統治下には国立刑務所が置かれ、その後、軍用騎兵学校が設立されたことでも名声を得た。第二次世界大戦中には、ノルマンディーに上陸した連合国軍を食い止めるため、ドイツ軍がソミュールに侵攻した。その結果、町は爆撃とドイツ軍の装甲車によって破壊されたが、町の人々が大きな危険をものともせず示した抵抗心と愛国心に敬意を表し、ソミュールには戦後、クロワ・ド・ゲール勲章が授与された。

ソミュールは華やかで美しい地域だったかもしれないが、下級階層の人々はまったく異なる現実に直面していた。貧しい人々に宿泊施設や食事を提供するため、救貧院の人々は搾取的で過酷な労働環境下で働かなければならなかった。救貧院は子供の成長にふさわしい場所ではなかった。高貴な生まれでないかぎり、将来には過酷な労働をともなう貧しい生活しか待っていない。健常者の女性は、裁縫や掃除、料理、庭の手入れ、洗濯などのさまざまな家事に従事させられた。ガブリエルの母は、プロヴィダンス修道女会が経営する慈善病院で洗濯婦として働いていた。

救貧院での生活は苦しいものだった。トイレは一〇〇人以上の被収容者によって利用され、しびんも共用されることが多かった。ふしだらな行為を避けるため、男女は隔離された。子供も夜寝る場所は別の部屋をあてがわれ、スペースの節約のために同じベッドで複数人が眠った。食事は主としてパン、かゆ、チーズで、運が良ければ、週に二回、少量の肉が供されることもあった。たとえば、規則により、大人の女性の夕食は五オンス（約一四〇グラム）のパン、一・五オンス

（約四三グラム）のチーズ、というぐあいに定められていたのである。九歳以上の子供はたいてい大人の女性と同じ食事を割り当てられ、九歳未満の子供の食事の量は、スタッフによって決められた。食事は大きな共同ホールでとられ、施される慈善に被収容者が感謝の気持ちを抱くよう、聖書の朗読が行われることが多かった。

シャネルは一二歳にして孤児同然の境遇に置かれることになる。母が気管支炎で亡くなると、父がシャネルと二人の姉妹をオーバジーヌの女子修道院に預けたのである。シャネルはここで一八歳まで暮らしたが、修道女とともに過ごして身につけた技術が、のちにシャネル帝国の基礎となり、彼女の運命を永遠に変えることになった——裁縫の技術である。幼いころに母を失い、家族の愛に触れることなく思春期を過ごしたことで、シャネルは自分の欲求を最優先することにほとんどためらいを覚えない、独立心の強い女性に育っていった。

女性の地位の低かった当時のフランス社会で、シャネルは数々の困難を経験した。一九世紀末から二〇世紀初頭にかけて、女性が今日よりはるかに困難な状況にあったのは周知の通りだが、フランス人女性の立場は特に低く、結婚や子供を持つといったこと以上の野心を持つ女性にとってはなおさらそうだった。なにしろ、フランス人女性は第二次世界大戦末まで選挙権がなかったのだ。一九四五年四月二九日に行われた選挙ではじめて女性も投票することが許された。今や伝説の人となったシャルル・ド・ゴール率いるフランス国民解放委員会が主導してようやくフランス人女性にも選挙権が与えられたのである。フランス社会は長年にわたって閉鎖的な傾向を示し、政治や社会における女性の権利や役割は、他の先進諸国より遅れていた。ドイツでは一九一八年、アメリカ合衆国では一九二〇年に女性に選挙権が与えられていた。フランス文化を覆う女性嫌いの分厚い雲を突き破るため、女性参政権運動は大変な苦難を強いられたのである。

当時のフランス社会では、既婚男性が仕事のために家庭を長期間留守にし、不安的な放浪生活

ココ・シャネルの肖像写真
（1910年ごろ、出典：アメリカ議会図書館）

を送ることも珍しくなかった。育児や家事、時には家族の扶養のために内職することまでが女性の肩にかかっていた。フランスで既婚女性が夫の承諾なしに就労する権利を認められたのは、驚くなかれ、一九六五年のことである。ガブリエル・シャネルに話を戻せば、彼女の母は未婚のまま、ガブリエルと他の四人の子と救貧院で同居していた。この時代の皮肉は、未婚女性に既婚女性よりも多くの権利が与えられていたことだ。独身女性は不動産を所有して税を払うことができるなど、既婚女性より多くの利点と機会を持っていたのである。もっとも、未婚女性には未婚女性なりの社会の制約があった。ガブリエルを未婚のまま産んだ母も結局アルベールと結婚した。彼女の実家が結婚資金をアルベールのために用立てて、ようやく結婚がかなったのである。

ガブリエルの母が亡くなったとき、遺された子供たちが直面せざるをえなかった現実は、控えめに言っても荒涼としたものだった。ガブリエルはそのとき一二歳、母を最も必要とする年頃だ。母がいっしょにいてくれても厳しい現実だったのに、そんな過酷な状況で母を失うとなれば、幼い魂が受けた傷は計り知れない。問題をさらに複雑にしたのは、父アルベールの行動だった。この行商人は、五人の子供を育てる義務を果たそうとしなかった。ガブリエルの二人の弟は農家に養子に出されたが、ガブリエルもまた父から遺棄され、姉と妹とともにオーバジーヌの女子修道院に預けられた。この父のひどい仕打ちが、ガブリエルの将来を形作り、その運命を永遠に変えることになったのである。

ガブリエルがデザイナーになり、本当にこうなりたいという自らの理想の女性像を実現するためには、自由であり続けることが必要だった。そして、当時のフランスで自由であり続けるには、独身を貫く必要があった。しかし、独身を貫くとなれば、また新しい問題が起こってくる。女性が事業を始めるための資金や支援を得るのは簡単なことではなく、そのためガブリエルは自分で稼がなければならなかったのだ。

ガブリエルは最終的に、フランスのナイトクラブで歌手としてのキャリアをスタートさせた。そのときに使ったのが「ココ」という名前だ。ココ・シャネルの人生については、真実ではない情報がいくつも出回っていて、しかもそのほとんどはシャネル自身が広めたものである。さまざまな記者や友人に幼年時代や若いころの話をするうちに、つじつまの合わない話が出てくることになった。たとえば、彼女はあるとき、『マリ・クレール』誌の編集長マルセル・ヘードリッヒに、ココという名前は父が呼んでいたものだ、と語った。「幼いころ、父は私を『リトル・ココ』と呼んでいました。『ガブリエル』という本名は父が決めたものではなかったので、気に入っていなかったのです」。その一方で、『アトランティック』誌のインタビューでは、「愛人」や「囲われ女」の意味のフランス語「コケット」が起源だと語っている。しかし、実際は、ムーランのクラブ「ロトンド」で歌手をしていたとき、「コ・コ・リ・コ（フランス語で「コケコッコー」の意味）」や「トロカデロでココを見たのは誰？」という歌を歌っていたという証言があるのだ。

シャネルは性的にも大胆で、生涯に何人もの愛人を持った。キャバレーの歌手として一生を終えるつもりはなく、やがてエティエンヌ・バルサンというハンサムなフランス人の愛人になった。バルサンは裕福な織物業者の御曹司で、社交界の名士でもあり、シャネルのほかにも愛人を何人も作ったが、当時のフランスの上流社会ではそれは珍しいことではなかった。

バルサンは、シャネルが最初のブティックを開店する資金援助も行った。他の愛人のところへ行くなどしてシャネルのもとを離れている間、シャネルが心を傾ける別の対象を見つけられればという配慮からだった。のちにシャネルの愛人となるアーサー・〝ボーイ〟・カペルを引き合わせたのもバルサンである。経済的に苦労してきたシャネルにとって、自由にできるお金がふんだんに与えられる愛人生活はこたえられないものだった。バルサンとのエピソードは、情熱的な恋愛というよりビジネスの取引といった趣があり、これはシャネルの性格にもぴったり合う関係だった。シャネルは、愛人から愛人へと飛び回って悠々自適の生活を送ることもできただろうが、さらに大きな野心を持っていた。愛人関係を経済的に利用し、ファッション帝国を築こうとしていたのだ。

シャネル帝国の始まり

シャネルは、一九一〇年、パリのカンボン通り二一番地に最初のブティックを開店し、高級なデザインの帽子を販売した。シンプルな優雅さを持つシャネルの帽子はパリを席捲した。シャネルはブティック・スタイルの店を増設し、ドーヴィルでも開店、ここでは一九一三年から独自のスポーツウェアを扱った。シャネルのスポーツウェアは女性の衣装に革命を起こし、今日なお人気を博しているまったく新たなジャンルの衣装を創造することになった。一九一五年、シャネルはそれまでのキャリアで最も大胆な手を打った。ここ五年で築いた名声をもとに融資してもらった資金で、ビアリッツにクチュール・ハウスを開いたのだ。さらに一九一八年には、パリのカンボン通り三一番地にもクチュール・ハウスを開店、ここは今なおシャネル本店として名をはせている。

一九二一年五月五日、シャネルは後世に名を残す生涯の最高傑作を発表した。「シャネルN゜5」だ。この香水の開発にあたったのはエルネスト・ボーという調香師で、その名称は、ボーがシャネルに提出した五番目の香水だったという単純な理由からつけられたものである。シャネルは他にいくつも香水を発売しているが、これほど不朽の名声を得たものはなかった。シャネルN゜5の狙いは、一九二〇年代の革命的な現代女性の精神を象徴するような独特の香りを作り出すことだった。

一九二〇年代は、特にアメリカ合衆国においては、変化と革新の時代だった。第一次世界大戦後間もない一九二〇年に禁酒法が施行され、女性にようやく選挙権が与えられた(イギリスではアメリカより二年早く、一九一八年に三〇歳以上の女性に選挙権が与えられていたが、二一歳以上の女性に与えられるのは一九二八年のことである)。禁酒法が施行されたからといって、人々がアルコールを飲むのをやめたわけではないというのは、現在では広く知られた事実だ。それどころか、組織的な犯罪を増やす結果になってしまった。アメリカ中であやしげな人物たちがいかがわしいナイトクラブやもぐり酒場を経営し、ひそかにアルコールを提供したのである。これらの店は一九二〇年代を通じて文化的に重要な位置を占め、特に若者たちに大きな影響を与えた。こういったクラブでは、当時まだ新しかったジャズ音楽がはやり、新たなファッションと急速な経済成長とがあいまって、いわゆる「狂騒の二〇年代」が始まるのである。

一九二〇年代を通じて、女性のファッションは、制限を加えるいまいましいコルセットや、前世紀の遺物とでも言うべきペチコートを脱ぎ捨て、快適に生活することのできるスタイルを取り入れる方向に進んでいった。そしてこのトレンドは、ファッションを変革したばかりか、文化において女性がどう認識されるかということまでも変えていくことになる。シャネルが起こした最初の大きな衣装革命は、「ラ・ギャルソンヌ」、つまりボーイッシュなファッションをはやらせたことだ。このスタイルに身を包んだ女性はアメリカで「フラッパー」と呼ばれ、まさに当時を象徴するファッションだった。一九二〇年代半ば、シャネルは「リトル・ブラック・ドレス」を発表したが、これは彼女のファッションの中で最も大きな影響を与えた製品の一つと言ってよいだろう。ここまで紹介してきたファッション革命だけでも歴史に名を残すには十分だろうが、シャネルは過去の栄光に満足するような女性ではなかった。

一九二四年、シャネルは「シャネルN°5」の顧客層を拡大する計画を練ったが、それにはかなりの資金が必要だった。そこで、裕福なユダヤ人のヴェルテメール家の人々と契約を結び、「パルファム・シャネル」社を設立した。ここであえて「ユダヤ人」と説明を付け加えている理由は、のちに明らかになるだろう。この契約は、シャネルにとって決して実入りのよいものではなかった。ヴェルテメール家が株の七〇パーセントを保持し、シャネルは自分の名前の使用を許可する見返りとして株を一〇パーセント手元に残すだけにとどまった。残りの二〇パーセントは、契約の仲介を行ったテオフィル・バデに与えられた。シャネルはこの取引全般に強い不満を抱き続けた。

成功した怪物

一九三一年、シャネルは有名な映画会社の社長、サミュエル・ゴールドウィンから直接招待され、ハリウッド・スターの衣装をデザインするために海を渡った。ハリウッドの名士たちの仲間入りをして伝説的なファッション業界人となったシャネルは、アメリカでの新たな名声を存分に享受し、ロシアの作曲家イーゴリ・ストラヴィンスキーや画家のパブロ・ピカソといった著名人とも交友関係を持った。一九三〇年代、シャネルの名声はピークを迎え、一九三五年までにパリのカンボン通りに五店のブティックをかまえて四〇〇〇人以上の従業員を抱えるに至った。

第二次世界大戦が始まってパリが占領されたときには、シャネルは四店のブティックを閉鎖し、このため多くの女性が職にあぶれることになった。シャネルの多くの伝記によれば、このシャネルの行動は、数年前に従業員と労働環境をめぐって対立したことが遠因となっており、従業員を解雇したのは報復のためだったという。カンボン通り三一番地のブティックは営業を続け、祖国で待つ恋人への贈り物を求めてアメリカ軍の兵士たちがしばしば訪れた。これらの勇敢な兵士たちも、このブティックを経営する女性が敵と通じているとは夢にも思わなかっただろう。

シャネルの伝記や記事には、彼女がひどい女性だったという内容が散見され、怪物とまで呼んでいるものもある。こういった見解が繰り返し語られてきたのには、さまざまな背景事情が考えられる。シャネルがナチスと許されざる関係を結んでいたことはたしかだが、ナチス関係の真実が表面化してきたのは一〇年ほど前からのことで、彼女の悪評はそれ以前から広まっていた。シャネルへの非難は、彼女が機敏で強気な女性実業家で、敵になさけをかけず、負けを認めようとしなかったことと関係があるのかもしれない。シャネルが男だったら、そのようなレッテルを貼られることはなく、むしろ「勤勉」とか「有能」とか言われたかもしれない。救貧院に生まれ、思春期に孤児同然の状況に追い込まれたことが、シャネルを強気で決然とした女性にした。彼女の行動にとがめられる点があったにせよ、その決然とした態度はむしろ称賛されてしかるべきだろう。

ナチスのフランス占領

シャネルがその名声を永遠に汚す道を歩んでしまったのは、ナチスのパリ占領時のことである。第二次世界大戦開始当初から、ヒトラーはフランス略奪に照準を合わせていた。一九四〇年五月、ドイツ軍は戦闘機や戦車とともにフランスに侵攻した。フランスの陥落はあっというまの出来事だった。フランス軍はわずか六週間で敗北して降伏したのだ。これはフランス人にとってプライドを傷つけられる屈辱的な出来事だった。なにしろフランスは当時、ヨーロッパ第二の軍事大国を自任していたのである。しかし、その軍事的名声は第一次世界大戦のときのものにすぎなかった。

降伏したフランスはドイツと休戦協定を結び、単純に言えば、占領地域と非占領地域に分割された。パリを含む北部はナチス政権によって占領され、非占領地域には、支配をより円滑に進めるため、ナチスの占領軍によってヴィシー政権と呼ばれる反ユダヤ的な傀儡(かいらい)政府が樹立された。戦前、ヴィシーは温泉で知られる保養地だったが、新たな政府のフランス人官僚とともに、ナチスもまたこの地にやってきた。宿泊施設が著しく不足し、ナチスは観光客を追い出してさまざまなホテルに泊まった。ヴィシー政権の主席を務めたのは、第一次世界大戦の英雄フィリップ・ペタン元帥だった。年老いた戦争の英雄は、すぐにナチスのプロパガンダの影響と脅威に屈した。

一九四〇年一〇月二四日木曜日、国家元首のペタンは、副首相ピエール・ラヴァルとともに、人里離れたモントワールでヒトラーと会談した。ヒトラーは、通訳のパウル・シュミットと外務大臣のヨアヒム・フォン・リッベントロップを引き連れていた。ペタンの目的は、ドイツとの休戦をとりつけ、フランスの国益のために両国の敵対関係を終わらせることだった。しかし、この日のペタンの行動、そして、ヒトラーと握手する様子をとらえた悪名高い写真は、のちに彼のフランスへの忠誠心を疑問視させることになった。ペタンはナチスの協力者と見られることもあるが、実際のところは、ナチスに反抗するのではなく、協力することによって、彼なりに正しいと思うことを実行したにすぎないのだろう。ペタンは休戦には同意したものの、ナチスの戦時体制に協力して対英宣戦を行うことは拒んだ。一九四〇年一〇月三〇日、ペタンは「この協力関係は誠実なものでなければならない」と題する演説をフランス国民に対して行い、ヒトラーと会ったこと、ナチスと協力して彼らの条件に従うことを明言した。

ペタン主席はフランス国民の信頼を得ていたが、この演説を聞いた人々は、裏で何が起こっているのかと、混乱と不安を感じることになった。フランス国民は抵抗を期待していたのに、蓋を開けてみれば妥協しかなかったからだ。フランスにはナチス政権に抵抗したいという国民感情があったが、一般市民が実際に起こせる行動はほとんどなかった。できるだけこれまで通りの生活を送って無言の抵抗を示し、ナチスによるフランス占領という事実を認めたり受け入れたりすることを拒むのがせいいっぱいだった。しかし、この態度はのちに、無言の抵抗ではなく、単に無言のうちに服従しただけではないのか、という激しい非難にさらされることになる。しかし、抵抗すればそれは死を意味したことも事実だ。

ヒトラーは、軍需相アルベルト・シュペーアをはじめとするナチスの取り巻きを引き連れ、戦時中一度だけパリを訪れた。一九四〇年六月二三日には、一観光客としてエッフェル塔とカルーゼル凱旋門を訪れている。ヒトラー自身はパリ、そしてフランスに滞在し続けることはなかったが、ナチスの兵士たちはとどまり続け、パリの通りを闊歩(かっぽ)して人々に恐怖を与えた。

一九四二年六月二〇日、ナチスはフランス国内のあらゆるユダヤ人に対し、フランス国籍を持っているかどうかに関係なく、ダビデの星の腕章を着用するよう求め始めた。この腕章を身につけずに通りを歩いてユダヤ人男性と疑われた者は、呼び止められて尋問を受け、時にはパンツを下ろされてユダヤ人でないことを証明するという屈辱きわまりない扱いを受けることもあった。ユダヤ人男性は古来割礼を施される伝統があったために行われた処置だが、実際には割礼は当時のヨーロッパではそれほど一般化していなかった。フランス国内のユダヤ人は最終的に一斉検挙され、強制収容所送りになった。フランス占領時の最大のユダヤ人一斉検挙が行われたのは、一九四二年七月一六日から一七日にかけてのことだ。約一万三〇〇〇人のユダヤ人（その中には多くの女性や子供が含まれていた）がフランス当局によって検挙され、食物、水、そしてトイレもない状態で一週間、自転車競技場に監禁された。多くの人々がのどの渇きと栄養不良によって命を落とし、生きながらえた者も最終的にはアウシュヴィッツに送られ、二度と還ってくることはなかった。

ユダヤ人オーナーからシャネルN゜5の経営権を取り上げようとする

パルファム・シャネル設立の際の契約は禍根を残し、シャネルは経済的に損をしたと感じただけでなく、プライドも傷つけられた。この会社が莫大な利益を上げるのを横目で見ながら、シャネルはどうすることもできず、「一九二四年に結んだ契約は、ペテンにあったようなものです」と、自らの決断を後悔するようになる。周囲の人間は、今上がってきている利益で十分だろうと諭したが、シャネルはカモにされているという思い込みを募らせるばかりだった。シャネルN゜5を世界市場に売り出すのに、ヴェルテメール兄弟の経済的支援が必要だったことも度忘れしたようだった。一九三〇年、シャネルはナチス協力者の疑いもある弁護士ルネ・ド・シャンブルンを雇い、ヴェルテメール兄弟を相手取ってさまざまな訴訟を起こし始めた。しばらくは完全敗訴が続いたが、ナチスがフランスを占領するにおよんでようやくチャンスが舞い込んできた。もともと厳しい倫理観を持ち合わせていなかったシャネルは、自らの名前を冠する会社の支配権を掌握したいという気持ちを抑えきれず、ユダヤ人が営む事業をすべてアーリア人の管理下に置こうとするナチスの政策を利用することにした。

シャネルがナチスとかかわり合う二〇年以上前、ナチ党は二十五カ条綱領ですでにユダヤ人の追放・迫害の政策を練り上げていた。一九三五年には、ユダヤ人から公民権を剝奪してユダヤ人とドイツ人との結婚を禁じたニュルンベルク法を制定し、一九四一年にはユダヤ人をアーリア人社会から完全に締め出す計画は軌道に乗っていた。わずか一、二年の間に、ユダヤ人が経営する事業の三分の二が、市場価値をはるかに下回る金額でドイツの非ユダヤ人に売却され、すべての

「パリの総統」、占領中のフランス、パリを訪問するアドルフ・ヒトラー
（1940年、出典：アメリカ国立公文書記録管理局）

ユダヤ人経営者と被雇用者が解雇された。実質上、ユダヤの家系の人間がドイツで生きていくことは不可能になった。それはナチスが征服した地域も同様で、フランスもその仲間入りをしたわけである。

一九四〇年五月から六月にかけてフランスがドイツに占領されたことは、ヒトラーが投げかける暗い影に抵抗する希望を抱き続けていたヨーロッパの人々にとって大打撃だった。ヒトラーとナチスがパリに乗り込み、エッフェル塔などの観光名所を楽しんでいる写真は、今日でもなお恐怖を抱かせるものだし、ヨーロッパの、いや、世界の他の都市もまた同じ運命を甘受する可能性があったのだ。そんな中、シャネルは、フランスがナチスに降伏してからたった一年で、将来の名声を傷つける策略を弄したのである。

一九四一年五月五日、シャネルは、パルファム・シャネルの経営権を自らの手に取り戻すことを求める以下のような手紙をナチ党に送った。

パルファム・シャネルは今なおユダヤ人の手の中にあります……そして合法的に経営者の手によって「放棄」されたのです。まぎれもなく私に優先権があります。この事業の設立以来、私が自分で製作した商品から手にした利益は……不当なほど少額です。

この計画はシャネルの思い通りに進むはずだったが、シャネルにとって計算外のことがあった。富裕者の狡知だ。パルファム・シャネルの大半の株を所有していたユダヤ人、ピエール・ヴェルテメールは、ヨーロッパにおけるナチスの動きを予見し、避けがたい迫害を逃れるためニューヨークに渡っていたが、亡命前にシャネルには思いもよらないような行動を起こしていた。パルファム・シャネルの経営権を、フェリックス・アミオという男に譲渡していたのである。アミオは、家系にユダヤ人の血を一滴も含んでいない生粋のフランス人実業家だった。ヴェルテメールのこの動きにより、シャネルは戦時中パルファム・シャネルの経営権を取り戻すことができなかった。戦争が終わると、アミオは会社をヴェルテメールの手に戻した。

シャネルは戦後になってもパルファム・シャネルの経営権をめぐって裁判で争うことになる。

ナチスの愛人

一九三三年にドイツの首相になったアドルフ・ヒトラーは、ナチスの指導者としてすぐに独裁体制への足場を固めた。第三帝国の政権は、ルフトヴァッフェ（ドイツ空軍）、親衛隊（SS）、秘密警察（ゲシュタポ）など多くの組織によって担われたが、これらの名の知れた組織のほかに、国民啓蒙・宣伝省やアプヴェーアといった部署があった。アプヴェーアは、一九二一年に設立された秘密軍事諜報機関である。第一次世界大戦後のドイツは、さまざまな制限を課すヴェルサイユ条約の取り決めにより、どんな形であれスパイ活動を行うことを禁じられていた。

政権を奪取したヒトラーは、アプヴェーアの支配権も握り、一九三八年にはより効率的な諜報機関へと再編成した。一九三三年にハンス・ギュンター・フォン・ディンクラーゲ男爵をパリのドイツ大使館の「特別官」に任じたのは、国民啓蒙・宣伝相のヨーゼフ・ゲッベルスその人だった。ドイツ大使館に勤めることになったディンクラーゲは、きわめて大きな権限を利用して、外交官の仮面をかぶりながらフランス国内で対独協力活動にいそしんだ。しかし、彼の行動にはフランス諜報機関も注目していた。記録によると、フランス側では一九一九年から彼の行動を監視していたことがわかっている。ディンクラーゲがドイツのアプヴェーアのスパイであることだけでなく、課報員コードがF－8680であるという事実まで知れ渡っていた。

大使館員となったディンクラーゲは、パリの富裕層が暮らす地域に住み、クライスラーの派手なグレーのロードスターを乗り回す姿が目撃された。住み込みのメイド、ルーシー・ブラウンもナチスの諜報員だった。ディンクラーゲを大使館に送り込んだナチスの主な目的は、工場や政府機関などのさまざまな重要施設にスパイを配置することによって効率よく情報を集めさせることだった。一九三四年、アプヴェーアの諜報員たちはナチスの指導部から、ゲシュタポと協力し合って組織的なスパイ活動に従事するよう命じられた。アプヴェーアは、フランスにおける最初のナチス組織と言ってもよいものだった。

シャネルは、パリの有名なホテル・リッツの豪華なスイート・ルームで暮らし始めていた。もし金があるなら、誰もが高い天井を持つ華美でエレガントなこのホテルに住みたいと思うことだろう。今なお、ホテル・リッツは贅沢な雰囲気と唯一無二の料理で有名だ。セザール・リッツが自らの名を冠するホテルを開業したのは、ラ・ペ通りの始まりにあるファッショナブルなショッピング街、ヴァンドーム広場だった。リッツは、自分のホテルは「王子が自宅で食べたいと思うようなあらゆる食品」をとりそろえている、と豪語した。リッツに投資した人々は、開業したホテルの様子を見て、「リッツ、王様も王子様も君をうらやむだろう。贅沢の何たるかを世界に教えてやってるようなもんだな」と語ったと言われている。貧しい境遇から成り上がったシャネルの人生において、リッツで暮らせるまでになったことは画期的な出来事だった。ホテル・リッツのシャネルの部屋は贅沢と上流社会の象徴だった。

このころシャネルがつきあっていたのは、『ヴォーグ』誌でイラストレーター、デザイナーとして活躍していたポール・イリブだった。二人の関係が始まったのは一九三一年だ。アーティストであるイリブにとって、シャネルはミューズのような存在だった。イリブは諷刺的な雑誌『目撃者(ル・テモワン)』を発行してイラストも担当し、シャネルはその資金援助を行った。『ル・テモワン』は反ユダヤ主義を奉じる国粋的な傾向を持つ雑誌として広く知られていた。マリアンヌというフランスの自由を象徴する女性キャラクターがしばしば登場したが、イリブがシャネルをモデルとしてこのキャラクターを創造したことはまちがいない。シャネルはイリブを深く愛しており、二人が結婚するのは時間の問題であるように思われたが、一九三五年、イリブはテニスの試合中に突然倒れ、シャネルの目の前で亡くなった。シャネルの嘆きは深かったが、世界が戦争に向かっていることもほとんど気づかぬまま、ビジネスに邁進した。

フランス当局同様、シャネルもまた、ディンクラーゲがナチスとかかわりを持ち、諜報員としてスパイ活動を行っていることを知っていた。彼の活動はすでに第二次世界大戦開始前にフランスの対敵諜報活動によって暴かれ、『ヴァンデミエール』紙にすっぱ抜かれていた。彼のこのような活動をシャネルが知らなかったとは考えにくく、したがって、彼女はそれを承知のうえでディンクラーゲと関係を持つようになったということだ。二人がいつ、どのような形で出会ったのかについて、はっきりしたことはわかっていない。シャネルは戦後になって、数十年前からの知り合いだったというようなことを当局者に語っているが、一九三〇年代だとする説もある。いずれにせよ、ナチスがフランスを占領したときには、シャネルが住んでいたホテル・リッツはナチス高官がこぞって宿泊する場となり、シャネルは滞在し続けることを許された数少ない非ドイツ人の一人だった。

パリが陥落すると、人々は南部に逃げた。街角には標識やポスターなど、ナチスのプロパガンダがあふれ、占領軍に服従を誓うことこそ身のためになると不吉に市民に告げていた。一九四〇年にディンクラーゲと愛人関係になったとき、シャネルは五七歳だった。ディンクラーゲは人好きのするハンサムな教養人で、占領下のパリでシャネルにとって利用価値の高い人物でもあった。シャネルが戦時中にナチスとかかわる仲介役となったのもまたディンクラーゲだった。そもそも、ドイツ人以外はほとんど滞在することを許されなかったリッツにシャネルがとどまり続けることができたのも、ディンクラーゲのおかげだったにちがいない。シャネル以外に滞在が許されたのは、一握りのナチス協力者と、ホテル創業者の妻だけだった。やがて多くの家庭が飢えに直面することになるが、フランス国民のそのような苦難をよそに、ナチス高官たち、そしてディンクラーゲとシャネルは、快適なリッツで贅沢な食事を楽しんだ。タイタニック号が沈没する中で、八人編成のバンドが貴族のために陽気な曲を演奏し続けたように、ヨーロッパが戦時に苦難を強いられる中、パリの上流階級は浮かれ騒ぎを続けていたのである。

シャネルは親切な人間とはみなされてこなかったし、ナチスをも利用するような日和見主義者だったことは否定すべくもない。しかし、それだけで彼女をナチス同調者と呼ぶことはできないし、ナチスのスパイだったという証拠にもならない。第二次世界大戦中のシャネルの裏の顔については、数十年にわたってさまざまなうわさが語られ、ナチスとのかかわりを疑う者も多かったが、フランスの諜報機関の文書が機密扱いを解かれ、実際の証拠が現れ始めたのは近年のことだ。これらの文書により、シャネルはナチスとかかわりがあったばかりか、実際にスパイとして活動し、しかも特別なミッションを与えられていたことが明らかになった。

一九九九年に機密扱いを解かれて軍事省のアーカイヴに提供された何百もの文書箱を調査していた歴史家たちは、二〇一六年、フランスの諜報機関がシャネルのナチスとのかかわりについて疑惑を抱いていたことを証明する一連の文書を発見した。現在では一般に公開されている（ただし、個人で依頼した場合のみ閲覧できる）これらの文書から、フランスの諜報機関が作成したナチスの協力者と疑われるさまざまな有名人のファイルの中に、シャネルのものも含まれていたことが明らかになった。一九四四年の文書には、「マドリッドからの情報によれば、一九四二年から一九四三年にかけて、シャネルはギュンター・フォン・ディンクラーゲ男爵の愛人で諜報員であったという。ディンクラーゲは一九三五年にパリのドイツ大使館職員となった。彼は宣伝機関の一員として働き、諜報員だった疑いがある」（フランス語の原文より引用者が英訳）と記されていた。

二〇一四年末に「フランス３」チャンネルで放映されたテレビ・ドキュメンタリー『疑惑の影――パリと占領下の芸術家』もまた、シャネルとナチス政権のかかわりの深さをうかがわせる証拠を示してくれる。シャネルはナチスのスパイと逢瀬を重ねていただけではなかった――彼女自身がスパイだったのである。シャネルのコードネームは「ウェストミンスター」で、これは彼女がかつてウェストミンスター公爵と愛人関係にあったことに由来する。ナチスの公式記録によれば、シャネルはアプヴェーアからＦ‐７１２４の諜報員番号を授けられていた。この情報は、フランス軍事省のアーカイヴの文書でも裏づけられている。

ココ・シャネルがナチスの協力者、そしてナチスのスパイですらあったという事実は、フランスの諜報機関の文書が機密扱いを解かれたことで近年ようやく表面化したことだ。シャネルは文字通り、敵と寝ていたのである。ナチスに協力していたからには反ユダヤ主義者だったと短絡的に結論づけてしまいがちだが、シャネルに関しては、ユダヤ人に特別な敵意を抱いていたという証拠を見つけるのは難しい。実際はユダヤ人を憎悪していたのかもしれないし、それを事実とみなしている伝記作家も多い。しかし、現実の証拠――少なくとも一つか二つ、本人の直接的な言葉がない状態で、そのようなレッテルを貼ることはできない。パルファム・シャネルを経済的に支えたユダヤ人一家に好意を持っていなかったことは明らかだが、反ユダヤ主義者だったことを裏づけるような発言をシャネルがしたという事実は見つけることができなかった。シャネルは骨の髄まで狡猾な日和見主義者であり、ナチスに協力したのも、政治的、社会的な信条というより、それによって事業を成功させるチャンスをつかみたかったということなのだろう。

シャネルは、一九四三年、「流行の帽子作戦（モデルハット）」というミッションを与えられた。しばらく前から計画されていたこのミッションに従い、シャネルはまずドイツに赴き、その後の詳細について詰めていくために悪名高いナチスのハインリヒ・ヒムラーと会ったらしい。ナチスのスパイとしてシャネルがどのような活動を行ったか、すべてが明らかになっているわけではないが、この重要なミッションだけは、前述の文書にも記録されており、はっきり事実と認定できる。一九四三年、シャネルはディンクラーゲとともにマドリッドに赴いたが、そのミッションは、知人であったウィンストン・チャーチルに、ドイツと休戦するよう説得する私信を出し、イギリスとドイツの敵対関係を終わらせる、というものだった。傲慢なシャネルは、チャーチルならもっともな意見として自分の言葉に耳を傾けてくれるものと思い込んでいた。チャーチルが同じように考えるはずもなく、このミッションは失敗に終わった。

シャネルがこのいささか奇妙なミッションを託された背景には、ヒトラーがイギリスとの戦争にこれ以上注力したくないと思っていたという事情があった。イギリスとの争いを終わらせることで、真の攻撃対象であるスターリンとソ連に的をしぼりたいと考えていたのだ。実際、ヒトラーはイギリスとの和平を求め、一九四一年にナチ党ナンバー2のルドルフ・ヘスをイギリスに送り込んだとも伝えられる。チャーチルがこういった和平工作を相手にしなかった理由としては、ヒトラーを信用していなかったこと、ソ連との戦争が終わったらナチスが再びイギリスを攻撃対象にする可能性が十分に考えられたことなどが挙げられるだろう。

前述のテレビ・ドキュメンタリーでは、戦後になってシャネルをはじめとする著名なフランス人とナチスとのかかわりの記録が抹殺されたのには、フランスのレジスタンスの誇りを守り、フランス人の名誉を傷つけて国民のさらなるモラル低下をもたらさないようにという配慮があった、との見解が示されている。

戦後の逃亡

枢軸国側が敗れて第二次世界大戦が終わると、ヨーロッパは再建のときを迎え、戦死者たちが悼まれると同時に、大惨害をもたらした戦争の責任者たちは罪を追及された。ナチスとその同胞に対して世界が正義の鉄槌を下すために開かれたのが、ニュルンベルク裁判である。一九四五年から一九四六年にかけて、生き残った第三帝国の指導者たち二四名を被告とする軍事裁判が行われた。もちろん、ココ・シャネルの名はその中になかった。ナチスとのかかわりを詳述した文書が発見されたのは近年のことなのだから、当然のことだと思うだろうか。しかし、その文書はフランス当局によって機密扱いされたものであり、フランス政府は、シャネルがパリを占領するドイツ軍とかかわっていたことを歴史から抹殺する措置を講じていたのだ。

ドイツ兵士と関係を持ったフランス人女性はもちろん、友好的な態度を示したとされる者でさえ、「水平的協力」を行ったとして激しい非難にさらされた。一九四四年には、約三万五〇〇〇人の女性がフランス人男性の群集によって丸刈りにされ、服を脱がされたり、時には身体にナチスの鉤十字を描かれるなどの屈辱的な扱いを受けた。狡猾なシャネルはこのような運命をまぬかれた。皮肉なのは、一九二三年にフランス軍がラインラントを占領したとき、フランス人兵士と親密になったドイツ人女性も同じ仕打ちを受けていたことである。ナチ党もまた、非アーリア人と関係を持った女性の頭を剃って見せしめにした。このような屈辱的な公開処刑を誰もが容認していたわけではなく、多くの人は怒りや羨望のはきちがえだと感じていた。フランスが占領されていた時代、夫が戦争に駆り出されて不在だった多くの女性は、子供の扶養のため、そして自らが生き延びるために、ドイツ人兵士と関係を持つしかなかったというのが悲しい現実なのだ。

しかし、シャネルはこのような扱いを受けることがなかった。あれほど人目につく女性であれば、第三帝国の一員と大っぴらに交際していた他の女性たちと同じ扱いを受けてもおかしくなかったが、シャネルはせいぜい数日間不自由な思いをするだけですんだ。

一九四四年八月、連合国軍はパリに到着し、パリはナチスの支配から完全に解放された。シャネルは解放後しばらくしてパリをあとにした。元メイドのジェルメーヌによれば、シャネルは、ウェストミンスター公爵からの秘密の伝言をことづかった人間の電話を受けたのだという。公爵は、すぐにフランスを出るようシャネルに伝えたとのことだ。それからわずか数時間でシャネルはスイスのローザンヌへの逃避行を敢行した。ウィンストン・チャーチルが戦後の熱狂的な敵意からシャネルを守ったという説もあれば、イギリス王室とつきあいのあるシャネルの口から、ウィンザー家の一部の人間がナチスとかかわりを持っていたことが明らかになるのを防ぐため、シャネルが特別扱いされたとする説もある。

一九四六年、ロジェ・セール裁判官をはじめとするチームが、シャネルと彼女のコードネーム「ウェストミンスター」をナチスと結びつける文書をまとめあげ、シャネルを起訴する動きに出た。しかし、情報をはっきり記録した文書証拠や、シャネルが実際にナチ党のために行った明らかな利敵行為を見つけることはできず、逮捕状の発行はかなわなかった。ただし、シャネルを裁判所に召喚し、ドイツ人とのかかわりについて弁明するよう命ずる勾引状を得ることには成功した。

一九四六年四月一六日、セール裁判官は、警察とフランスの国境警備隊に対し、ルイ・ド・ヴォーフルラン男爵が戦争犯罪裁判で行った証言への釈明のためにシャネルを勾引するよう求める令状を出した。シャネルは、法廷、そしてセール裁判官の前に姿を現すことを数年間拒否し続けた。

数年後、シャネルは裁判所命令にようやく応じ、戦時中の行動と、ヴォーフルラン男爵とのかかわりについて説明した。ヴォーフルラン男爵は、フランス人でありながらナチスの諜報員として活動しており、シャネルはこの男とともに旅行する姿をたびたび目撃されていたのである。ヴォーフルラン男爵はアプヴェーアのファイルで「V（ファウ）マン」と呼ばれていたが、これは彼がゲシュタポの信頼を得ていたことを示している。ヴォーフルランの活動は、主として、説得したらナチスのスパイになりそうな男女をリクルートすることだった。シャネルが彼と旅行をともにしたのは、彼の本来の仕事をカムフラージュするためだったと考えられている。ヴォーフルランは、一九四九年七月一二日、戦時中敵に利する行為をとることによってフランス国民に対して罪を犯したということで起訴された。この裁判で証言を求められたシャネルは、ヴォーフルランが知人だと認めはしたものの、深い関係にあることは否定し、罪となるような行為をしたことはないと証言した。検事はシャネルよりヴォーフルランに的をしぼっており、シャネルを深く追及することはなかった。こうしてシャネルは無事スイスに戻り、一方で有罪判決を受けたヴォーフルランは禁固六年の刑を宣告された。

伝記作家のハル・ヴォーンは、『誰も知らなかったココ・シャネル』（赤根洋子訳、文藝春秋、二〇一二年）の中で、シャネルが戦後になって元ナチ党員に口止め料を払った可能性について推測している。ヴォーンによれば、ナチス親衛隊の海外諜報部の長だったヴァルター・シェレンベルクが回想録を出版しようとしたとき、シャネルはそれを止めるため、彼とその家族に金銭を渡したというのだ。シェレンベルクはもちろん、シャネルとナチスとの深い関係を知っていた。

その後の人生

シャネルは、その後、戦時中の行動の責任を真にとることなく、残りの人生を自由に暮らすことができた。世間にも顔を出し、インタビューで人生のさまざまな出来事について語っているが、矛盾する発言もしばしばだった。一九七一年一月一〇日、シャネルは、ナチスのパリ占領時にも贅沢な暮らしを続けていたホテル・リッツの豪華な部屋でその生涯を終えた。享年八七だった。

現在のシャネル・ブランド

ココ・シャネルがナチスのスパイだったことを厳しく告発するハル・ヴォーンのセンセーショナルな伝記が出版されたとき、シャネル社はプレスリリースで対応し、以下の声明を発表した。

たしかに言えるのは、彼女が戦時中にドイツの貴族と関係を持っていたということです。たとえディンクラーゲ男爵の母方がイギリス人であったとしても、また彼女（シャネル）が戦前から彼を知っていたとしても、ドイツ人と恋愛関係を持つのにふさわしい時代ではありませんでした。

ココ・シャネルが反ユダヤ主義者だったとされる問題については、次のように述べている。

彼女が本当にそのような見解を持っていたなら、会社の経営者にユダヤ人一家を選ばなかったでしょうし、ロスチャイルド家や写真家のアーヴィング・ペン、有名な作家のジョゼフ・ケッセルといったユダヤ人と親友になったり、職業上のつきあいを持ったりしなかったでしょう。

6章 バイエル ヘロインと大虐殺

バイエルの歴史は複雑な問題を抱えているとしか言いようがないものだ。まず、世界で最も依存症を引き起こしやすい危険な麻薬、ヘロインの問題がある。ヘロインと聞いてまず思い浮かぶのは、針や注射痕、痩せ衰えた常用者の姿だろう。ヘロインは、使用者とその周囲の人々に大変な苦難をもたらす。ヘロインから、店の棚に置かれた薬物の瓶を思い浮かべる人はまさかいないだろう。ところが、アスピリンの製造で有名なバイエルは、ほんの一世紀ほど前、ヘロインを瓶詰にして子供用の咳止め薬として売っていたのだ。しかし、ヘロインはもう一つの問題と比べれば小さな問題にすぎない。バイエルは、第二次世界大戦中のナチスの強制収容所に深く関与していたのである。

オピオイドの歴史

アヘンの歴史は紀元前三四〇〇年の古代メソポタミアにまでさかのぼることができる。アヘンのもととなるケシについては、エジプト、サンスクリット、ギリシャ、ミノア、シュメールといった諸文明の古代文献でも言及されている。シュメール語でケシは「フル・ギル」と表されたが、これは「喜びの植物」の意味である。一九世紀、アメリカ開拓時代の西部には、鉄道建設のために中国から多くの移民労働者が連れてこられたが、彼らはアヘンも持ち込み、アヘンはたちまち人々の間に広がっていった。映画やテレビでは、カウボーイと言えば酒場でウイスキーを一杯ひっかけているのがおなじみのイメージかもしれないが、実際には、ワイルド・ビル・ヒコックのような伝説のガンマンたちは、薄暗いアヘン窟でハイになっていたかもしれないのだ。

アヘンの次に登場するのがモルヒネだ。モルヒネの名は、ギリシャ神話の夢の神、モルペウスにちなむ。このアルカロイドは、一八〇三年から一八〇五年の間に、薬剤師の助手だったフリードリヒ・ゼルチュルナーによってはじめてアヘンから分離された。植物からアルカロイドが分離されたのはそもそもこれがはじめてのことだった。モルヒネは、一八二七年、エマニュエル・メルクによって市場に出されたが、そのモルヒネの欠点を補うために開発されたのがヘロインである。

薬品VSスネーク・オイル

「スネーク・オイル」や「スネーク・オイル・セールスマン」という言葉を耳にしたことがあるだろう。現在では「いんちき」の意味を表す決まり文句になっているが、一八世紀から一九世紀にかけて、スネーク・オイル（蛇の油）は万能薬として実際に広く使われていた。ヴィクトリア朝では、あらゆる種類の効用を謳ったいんちき薬があふれており、薬が政府の認可を受けねばならなくなったのは、イギリスでは一八五八年、アメリカ合衆国では二〇世紀に入ってからのことである。

今の時代に「スネーク・オイル」と言って思い浮かぶのは、プラシーボ、つまり、実際の効果がない偽薬だろう。しかし、かつていんちき薬はプラシーボだけではなかった。一九世紀には、現代のようにきちんと認可を受けた薬は少なかったが、実際に使用されたものの多くは、曲がりなりにも医学的根拠を持っていたのだ。バイエルもまたヘロイン製品をスネーク・オイルのように販売することになるが、それについては後述する。

有名な、いや、悪名高いスネーク・オイルとしては、「リチャード・ストートンの霊薬」「ウォーナーの名高いガラガラヘビのオイル」「クラーク・スタンリーのスネーク・オイル湿布薬」などが挙げられる。「リチャード・ストートンの霊薬」は、一七一二年に特許を受け、イギリスで最も早く特許を得たビターズ（アルコールに薬草、香草などを漬けてつくった苦みの強いリキュール）の一つである。その中身は、オレンジの皮、薄切りにしたリンドウ一オンス（約二八グラム）、少量のコチニール、一パイント（約五七〇ミリリットル）のブランデーなどだったらしい。リンドウはビターズの味つけに使われることが多く、消化を助ける効果があると言われている。コチニールは主として染料として用いられた。「ウォーナーの名高いガラガラヘビのオイル」は、リウマチ、麻痺、関節のこわばり、腱や筋肉の収縮、腰痛、肺炎、神経痛、難聴、喘息、カタルに効くとされた。そんな万能薬などあるはずもなく、その効用は明らかに根拠のないものだった。

「クラーク・スタンリーのスネーク・オイル湿布薬」が謳う効用はさらにすさまじい。痛み全般、歩行困難、リウマチ、神経痛、坐骨神経痛、背中の凝りや張り、腰痛、腱の収縮、歯痛、過労、腫れ、凍傷、しもやけ、挫傷、のどの痛み、哺乳動物や爬虫類に噛まれたり虫に刺されたりしてできた傷にまで効くというのだ！　この薬はようやく一九一七年にアメリカ合衆国政府によって検査されたが、その成分は、単なる塗布薬、つまり風邪にかかったときに胸に塗る薬とたいして変わらないものであることが明らかになった。

一九世紀後半には多くの産業を規制する動きが顕著になり、その一つが薬剤だった。一部の治療薬には曲がりなりにも医学的な根拠があったかもしれないが、多くは完全ないんちき薬であり、中には効果があるどころか悪影響をおよぼすものもあった。薬物の規制が喫緊の課題とされたのは、ビターズが無規制に出回ったためばかりではなかった。今日でも「ハードドラッグ」とみなされる薬物が広く一般に提供されていたことも大きな原因だったのである。

ヴィクトリア朝のイギリスでは、今日非合法とされる、あるいは破滅的な影響を与えると考えられる麻薬に対する態度は現在とはまったく異なっており、ふつうの薬局でアヘンやコカインをはじめとする多くの麻薬が売られていた。産業革命期は激動の時代であると同時に、麻薬使用の増加を見た時代でもあった。しかも、麻薬を使用したのは労働者階級だけでなく、芸術家や作家にもおよんでいた。アヘンやモルヒネの依存症になる人々は思いのほか多かったのである。

そんな時代背景の中、一九世紀後半、ドイツの化学者がある風邪薬を発明した。彼は、この薬には鎮痛効果はあるものの、モルヒネやコデインのような依存性はないと信じていた。こうして、尊い善意から、現代世界で最もおそろしい依存性を持つ薬物の一つが偶然作り出されることになったのである。

バイエルの歴史

バイエルとして知られる会社は、一八六三年、ドイツのバルメンで創業された。バイエルが世界にその名を知られるようになったのは、アスピリンを開発・商標登録してからのことで、今日でもバイエルと言えばアスピリンを思い浮かべる人が多いだろう。この薬は、バイエルの化学者たちがサリチル酸を副作用の少ない形に合成しようとする過程で開発され、一八九九年にアスピリンとして商標登録された。副作用のより少ない二種の製品、アセトアミノフェンとイブプロフェンが流通するまで、アスピリンは大きなシェアを占め続けた。イギリスでは、前者は一九五六年に、後者は一九六九年に処方薬として認可された。

バイエルは創業当初から謎めいた会社だった。アスピリンを開発したのが誰であるのかも、実際のところは謎に包まれたままである。一般には、フェリックス・ホフマンというドイツ人が開発したという説が有力だが、同時期にバイエル社で働いていたアルトゥル・アイヒェングリュンというユダヤ人はこれを否定している。彼は、バイエル社が第二次世界大戦中にナチ党とかかわりを持ったとき、自分の名が抹殺されたと主張しているのだ。実際、一九三四年以前には、発明の功績をホフマンに帰した文書は存在しない。バイエルがIGファルベンという合同企業としてナチスときわめて深いかかわりを持っていたことを考えれば、最も有名な自社の商品について、歴史を改変して「アーリア化」を図ろうとしたとしても不思議はない。ユダヤ人化学者の名前を記録から抹殺しようとするのは、考えられないことではないのだ。

ヘロインを作ったのは誰か

ヘロインは、開発されてから一世紀を優に超えてもなお社会に悪影響をおよぼす結果になってしまったが、もともとは悪意をもって作られた薬物ではない。現在一般にヘロインとして知られるジアセチルモルヒネの合成にはじめて成功したのは、C・R・オルダー・ライトというイギリス人の化学者で、一八七四年のことだった。モルヒネをさまざまな酸と組み合わせる実験をしているときに、偶然生まれたのだ。しかし、彼はこの実験結果を記録に残しただけで満足したため、その時点ではヘロインが世に広まることはなかった。

この薬物が本格的に開発され始めたのは、それから二三年後のことだ。ドイツ北西部のヴッパータールのバイエル社の調剤工場で、フェリックス・ホフマンという化学者が——そう、アスピリンを開発したとされる前述のホフマンだ——ヘロインを開発したのである。ホフマンは、上司のハインリッヒ・ドレーザーから、バイエル社のためにコデインを上回る薬剤を開発するよう指示された。コデインはその依存性が問題視されていたため、バイエル社は依存性のない新たな商品の開発を目指したのである。

しかし、皮肉にも、ホフマンが開発したのは、モルヒネほどの効用はないにもかかわらず、依存性ははるかに高い薬物だった。のちにヘロインとして知られ、市場に出回るようになったこの

バイエル社の瓶詰のヘロイン

薬物は、当初ドイツ語で「ヘロイッシュ」と呼ばれていた。英語で言えば「ヒロイック（英雄的な）」だ。これを使用すると、まるで英雄のように気持ちが高揚することからつけられた名前である。ホフマンが開発した合成法を用いて、バイエルはヘロインを世界に売り出すことに成功した。ヘロインはモルヒネやコデインに代わる依存性のない薬物として宣伝されたが、今ではこの宣伝文句がまったくの虚偽であることがわかっている。

ホフマンによるヘロインの開発後すぐに、主としてウサギやカエルを対象とした実験が行われ、やがて実験対象は人間にもおよんだ。多くのバイエル社の従業員、そしてホフマン自身も被験者となった。一八九八年一一月、ドレーザーはドイツ博物学者・医師会議

Am. J. Ph.]　　7　　[December, 1901

BAYER Pharmaceutical Products

HEROIN–HYDROCHLORIDE

is pre-eminently adapted for the manufacture of cough elixirs, cough balsams, cough drops, cough lozenges, and cough medicines of any kind. Price in 1 oz. packages, $4.85 per ounce; less in larger quantities. The efficient dose being very small (1-48 to 1-24 gr.), it is

The Cheapest Specific for the Relief of Coughs

(In bronchitis, phthisis, whooping cough, etc., etc.)

WRITE FOR LITERATURE TO

FARBENFABRIKEN OF ELBERFELD COMPANY

SELLING AGENTS

P. O. Box 2160　　40 Stone Street, NEW YORK

バイエル社のヘロインの新聞広告（1901年ごろ）

でヘロインについてプレゼンテーションを行った。ヘロインは奇跡の咳止め薬で、コデインより一〇倍効果的であるばかりか、副作用はコデインの一〇分の一、依存性はまったくないと喧伝したのである。バイエル社は同じ一八九八年にこの「奇跡の薬」を商標登録し、世界中の家庭に売り込んだ。

一方で、バーナード・ラザルス医師がヘロインについて独自の分析を行い、一九〇〇年、その結果を『ボストン・メディカル・アンド・サージカル・ジャーナル』誌に発表した。この論文で取り上げられた事例では、塩酸ヘロインを咳止めのために使用することは、特に結核患者にとって効果的だったとされている。ラザルスはこう続ける。「私自身が行った塩酸ヘロインに関する徹底的な調査結果から、この薬物は医学界にとって大変価値ある助けになるものと公平に言明できると思う」

なぜヘロインなのか？　その目的と治療効果

医学が発達した現代から見れば、どうして親はヘロインのような危険な薬物を咳止め薬として子供に与えようとしたのだろう、と不思議に思われるかもしれない。今日ではヘロインの危険性は広く知れ渡っているが、一九世紀後半にはまったくの新商品であり、もちろん現在のような悪い評判は立っていなかった。バイエルは、死に至る可能性のある咳の恐怖に対処する市場の需要を満たしたにすぎない。予防接種が導入される前の時代には、自分の子供が咳の発作を起こすことは、両親にとっておそろしい経験だった。子供が結核や肺炎、百日咳などの命にかかわる病気にかかったのではないかと激しい恐怖に襲われることも多く、しかもその恐怖は根拠のあるものだった。一九〇〇年には、アメリカだけで結核によって一五万近くの人が命を落としている。現在でこそ事実ではないとわかるのだが、激しい咳をすれば致命的な病にかかった徴候と考えられたのである。人々は、咳を予防したい、咳の症状が現れたらそれを止めたい、そして病で休息しようとしているときに咳の発作を抑えたいと思い、各企業はさまざまな治療薬や商品を売り出すことでその需要に応えたのである。

子供をターゲットにしたヘロイン

バイエルがベルリンの帝国特許庁の認可を得てアスピリン（アセチルサリチル酸）の特許を取得したのは一八九九年三月六日のことだが、それ以来長年にわたり、バイエルはアスピリンを心臓発作の予防になるものとして喧伝し、それがこの商品の主要なセールス・ポイントになっている。毎日少量のアスピリンを服用すれば、心臓発作や脳卒中を予防できるというのは、現在では当たり前の知識になっている。血液濃度を薄める薬は血栓の形成を抑制することができるからだ。

バイエルがアスピリンを売り出すためのスローガンは、「知れば知るほどバイエルを信頼するようになる」「苦痛軽減にバイエルを、人生のためにバイエルを」といった人の心に訴えかけるものだ。本書執筆時点で最新のスローガンは、「奇跡が待っている」である。バイエルは、アスピリンを心臓によい「奇跡の薬物」として売り続けているのだ。ところが実際は、二〇一二年の調査によれば、バイエル社のアスピリンは致命的な心臓発作を一〇パーセント、そうでない心臓発作を二〇パーセント減少させる一方で、服用者の三〇パーセントに胃腸出血の増加が見られたという。

バイエル社の第二の主要製品であるヘロインの販売は、二〇世紀に入ってもかなりの間続いた。

一九〇一年の広告では、ヘロインを「咳止め用のエリキシル剤、香膏(こうこう)、ドロップ、トローチ剤など、ありとあらゆる咳止め剤」に加工する材料として薬局に売り込んでいる。ヘロイン製品を「咳の鎮静薬」と説明するスローガンを使っていたこともある。一九一二年ごろのスペインの新聞には、子供に対してヘロインの使用をすすめるバイエル社の広告が掲載されている。そこには、スペイン語で「咳が消える」などの文句が記され、子供に薬を与える愛情深い母親の姿が描かれている。

瓶詰のヘロイン薬は、一オンス(約二八グラム)あたり四ドル八五セントで売られていた。インフレを計算に入れると、これは今日では一三九ドルをわずかに超える程度の値段だ。バイエルはヘロインの用途を咳止め薬に限定していたわけではない。統合失調症から風邪まで、あらゆるものに効く奇跡の万能薬として売り込んでいたのだ。もちろん、今日ではこれらの主張はまったく根拠のないものであることがわかっているが、スネーク・オイルを思わせるこのような商法は、当時としては珍しいものではなく、バイエルに限ったことでもなかった。

ヘロインを開発し、世間に、特に子供に売り込むというのは、きわめてひどい行為のように思われるが、ここで問題になるのは、バイエルはこの行為に責任があるのか、ということだ。当時、ヘロインはそれほど危険で依存性のある薬物とはわかっていなかったのではないか? 残念ながら、それは真実ではない。ヘロインの依存性の危険については、きわめて早くから――なんと、発売された年にすでに指摘されていた。バイエルはこの懸念をよく承知していたにもかかわらず、二〇世紀になってもヘロインを子供用の薬として売り続けていたのである。アメリカ合衆国でヘロインの販売が処方薬に限定されるようになったのは、一九一四年にハリソン麻薬税法が施行されてからのことである。ヘロインの販売と輸入が完全に禁止されるのは、一九二四年のことだ。バイエル社にしてみれば、ヘロインだけでも十分暗い過去と言ってよいだろうが、さらにひどい歴史が待っていた。

バイエルとナチス

第二次世界大戦前、ドイツにはＩＧファルベンという総合化学会社が存在していた。ＩＧはドイツ語 Interessengemeinschaft の略で、「利益共同会社」の意味である。バーディシェ・アニリン・ウント・ソーダ・ファブリーク（ＢＡＳＦ）、ヘキスト、アグファ、グリースハイム・エレクトロン化学工業、ワイラー・テル・メール化学社、カセラ、ファブリーク・カレ、そしてバイエルの八社からなる化学産業トラストだったが、バイエル社はその中の一社という存在にとどまらなかった。自己資本投資の二七・四パーセントを占めて中心的な役割を果たし、一九三〇年代後半には、数十万のドイツ人従業員を抱えてバイエル単独でドイツ最大の輸出業者となり、市場を独占していたのだ。

ＩＧファルベンは初期からアドルフ・ヒトラーおよびナチスと提携し、未来の独裁者と長きにわたる関係を築いた。それどころか、ナチ党の選挙運動にも多額の寄付をしている。ヒトラーは、一九三二年の大統領選に立候補して落選したあと、一九三三年一月三〇日、ドイツ首相に任命された。権力を握ったナチ党は、一九三三年三月五日に行われる国政選挙に注力した。国会で過半数を取り、全権委任法成立に向けて弾みをつけたいと考えていたのである。この法律が制定されれば、ヒトラーはこれまで必要とされた国会の承認を得ることなく、内閣の承認だけで法律を定めることが可能になる。ヴァイマル憲法を骨抜きにする全権委任法と、その直前に布告された大統領令により、ドイツにおけるヒトラーの独裁と絶対的な権力への道が整おうとしていた。

一九三三年二月二〇日、ヒトラーは、ヘルマン・ゲーリングの執務室で三〇人近くの有力企業家と会談の場を持った。会談の目的は、来る三月の国政選挙におけるナチ党の選挙運動の資金を実業界の大物たちに提供させることにあった。結局二〇〇万ライヒスマルクを超える寄付金が集まったが、そのうち四〇万ライヒスマルクはＩＧファルベンからのものだった。この会談にＩＧファルベンを代表して出席したのは、取締役のゲオルク・フォン・シュニッツラーだったと言われている。シュニッツラーはのちにナチスの突撃隊（褐色シャツ隊）のリーダーとなった。インフレを考慮に入れたうえで四〇万ライヒスマルクを現在の貨幣価値に換算すると、約三〇〇〇万

ポーランドのアウシュヴィッツ収容所への入り口
（ロガリトモ撮影、出典：クリエイティブ・コモンズ）

ドル（約二四〇〇万ポンド）になるだろう。しかし、この寄付金は効果がなかった。ナチスは国政選挙で目標とする過半数に届かなかったのだ。そこでナチスは、連立政権を組んだうえで、共産党員を拘禁して投票を阻み、非ナチ党員を暴力で脅した。こうして必要となる三分の二以上の賛成を得て、全権委任法を可決させたのである。

　強制収容所での数々の悪行が可能になったのも、IGファルベンからの助力があってのことだった。一九四〇年、IGファルベンは新たな工場の建設を計画し、ポーランドのオシフィエンチム（ドイツ語名アウシュヴィッツ）にある、ヒムラーの指揮下最大の強制収容所に狙いを定めた。IGファルベンの社員だったオットー・アンブロスが理想的な立地と考え、ここを推奨したのだ。強制収容所の囚人を労働者として利用して新工場を建てようというわけである。こうしてIGファルベンの工場が完成した。そして、アウシュヴィッツがナチスの人種絶滅計画の目立たない一収容所から最前線へと躍り出て、歴史上最大の大量虐殺現場の一つへと変貌するのに大きな役割を果たしたのが、IGファルベンの金銭的な援助だった。

陰鬱な悲しみを秘めたアウシュヴィッツ・ビルケナウ博物館をめぐる機会があれば、ナチスによる強制収容所建設にはIGファルベンの後ろ盾があったことをガイドがはっきり説明してくれるだろう。多くの強制収容所は虐殺を目的として建てられたが、アウシュヴィッツはそうではなかった。IGファルベンの強制労働者のための施設だったのである。強制労働はナチス政権に欠かせないシステムであり、多くの企業がこの悪習に手を出した。「IGアウシュヴィッツ」として知られたIGファルベンのブナ（合成ゴム）工場は、アウシュヴィッツ強制収容所から約六キロメートル離れたところに位置しており、一〇万人のソ連軍捕虜が強制労働に従事させられていた。

アウシュヴィッツの施設の建築予定地に住んでいたポーランドの農家は、一九四〇年から一九四一年にかけて土地を追い出され、その地所は虐殺と強制労働の施設建設のために破壊された。ナチスは、農家が破壊されたあとの残骸も収容所建設の資材として利用した。一九四二年に、ユダヤ人の移送と殺害に関する分担と連携を討議したヴァンゼー会議が開かれた後、何千もの無辜のユダヤ人が西ヨーロッパからビルケナウに連行され、虐殺されるか、強制労働者として徴用された。IGファルベンは、アウシュヴィッツの近くに自社の化学製品製造用の工業複合施設を建設したが、ここで三万人の強制労働者が死亡することになった。ヒトラーがポーランドとチェコスロヴァキア侵攻に向けて準備を進めているとき、IGファルベンはナチスと密接に提携することで、これらの地域に化学工場を建てる準備を整えていた。アウシュヴィッツの環境はひどいものだった。衣類や居住空間にはシラミなどの害虫が大量に湧き、それらを殺すためにツィクロンBとして知られる致死性の化学燻蒸剤が用いられた。このツィクロンBは、最終的に、ロシア人やユダヤ人、ロマ民族などを殺すため、ナチスのガス室で毒ガスとして用いられることになる。ナチスは囚人をより効率的に大量虐殺する方法を探っていたが、収容所で人間を殺すためにガスを使うことを最初に考案したのは、アウシュヴィッツ強制収容所の副所長カール・フリッチュだった。このガスはフリッツ・ハーバーが創業したデゲッシュ社によって生産されたが、デゲッシュ社は、自社の株の四二・二パーセントを所有するIGファルベンから許可を得てこの悪の商品を製造していた。IGファルベンが関与した実験は、薬物を強制的に囚人に服用させるというものだった——その中には、結果的に世界最初の化学療法治療となるものもあった。IGファルベンの従業員には、ナチス親衛隊大佐のヘルムート・フェッター医師も含まれていた。フェッターはアウシュヴィッツの主治医として悪名高い人物であり、他の医師たちとともに、ガス室送りにするユダヤ人の選別にも関与していた。ナチス親衛隊のヴァルデマール・ホーフェンは、ニュルンベルク継続裁判で次のように証言している。

ナチス親衛隊にはすぐれた科学者がいなかったということは、特にドイツの科学界で知られるべき事実です。IGファルベンが関与して行われた強制収容所での実験は、すべてIGファルベンの利益のために行われました。IGファルベンはあらゆる手段を使って自社の製品の効果を判定しようと躍起だったのです。IGファルベンが、ナチス親衛隊を強制収容所での「汚れ仕事」に巻き込んだのです。IGファルベンはこれを表に出すつもりはありませんでした。むしろ、実験に煙幕を張って……利益をわがものにしようとしたのです。強制収容所での実験のイニシアチブをとったのは、親衛隊ではなく、IGファルベンだったのです。

第二次世界大戦後のバイエル

第二次世界大戦後、IGファルベンは連合国軍によって解体された。戦時中にナチス政権とかかわりを持った企業の例にもれず、IGファルベンもその報いを受けることになった。直接残虐行為に関与したことにより、従業員のうち二四名がニュルンベルク継続裁判で戦犯として起訴された。

起訴された二四名のうち、一名は病の状態が深刻ということで免訴された。実際に被告となったIGファルベンの二三名は以下の通りである。カール・クラウフ（監査役会会長）、ヘルマン・シュミッツ（取締役会会長）、ゲオルク・フォン・シュニッツラー（軍事経済部長）、フリッツ・ガイェヴスキ（アグファ会長）、ハインリヒ・ヘールライン（化学研究長）、アウグスト・フォン・クニーリェム（主席法律顧問）、フリッツ・テル・メール（第二部局長）、クリスチャン・シュナイダー（第一部局長）、オットー・アンブロス（合成ゴム工場生産部門長）、パウル・ヘフリガー（金属部長）、エルンスト・ビュルギン（工場長）、カール・ラウテンシュレーガー（工場長）、マックス・イルグナー（課報宣伝長）、ハインリヒ・ビューテフィッシュ（アウシュヴィッツ生産部門長）、フリードリヒ・イェーネ（チーフ・エンジニア）、ハンス・クグラー（染料販売長）、ハインリヒ・ガティナウ（課報・工場警備）、カール・ヴルスター（工場長）、ハンス・キューネ（工場長）、ヴィルヘルム・ルドルフ・マン（調剤担当）、ハインリヒ・オスター（窒素企業連合会長）、ヴァルター・デュールフェルト（アウシュヴィッツ・モノヴィッツ建築責任者）、エーリッヒ・フォン・デル・ハイデ（課報・工場警備副長）。地位はさまざまだが、多くの者がナチス親衛隊および突撃隊のメンバーだった。

一九四七年八月二七日に始まった公判は一年近く続き、一九四八年七月三〇日に終了した。ニュルンベルクで行われた裁判の中でも、国際軍事裁判、大臣裁判に次いで三番目に長い期間だ。このニュルンベルク継続裁判第六号事件の裁判官を務めたのは、クラレンス・F・メリル、ポール・M・ハーバート、ジェームズ・モリス、カーティス・グローヴァー・シェイクらである。公判初日、判事が冒頭陳述で二四名に対する罪状を読み上げた。以下はその冒頭陳述をそのまま引用したものである。

本裁判の重大な罪状は、入念な調査および熟慮の末、申告されたものである。本起訴状は、被告人が、現代史における最も悲惨な戦争を人類に引き起こした重大な責任を負っている旨を告発する。それは、大量無差別の奴隷的処遇、略奪、殺人の罪で被告人を告発するものである。これらはおそるべき訴因である……被告人が告発されている罪は、一時的な憤怒や、突発的な誘惑によって引き起こされたものではない。規則正しい生活を送る人間が、一時の気の迷いで起こした罪ではない。感情の発作から巨大な戦時体制を築くことなどできないし、残虐的な気持ちに突如として駆られてアウシュヴィッツの工場を建造することなどできない。これらの被告の行動は、熟慮の末に起こされたものであり、再び同じような機会が与えられれば、また繰り返し行われる可能性があると言わざるをえない。被告人がこれらの行動を起こした冷酷な意志は否定しようがない。

最も重い刑が科されたのは、アウシュヴィッツ工場の建設と運営に直接かかわったオットー・アンブロスとヴァルター・デューアフェルトで、ともに懲役八年の刑を宣告された。フリッツ・テル・メールは、合成ゴム工場における関与により懲役七年、カール・クラウフとハインリヒ・ビューテフィッシュは懲役六年の刑を宣告された。一〇名が無罪釈放となり、有罪になった者も全員、懲役期間から勾留期間分が差し引かれた。

バイエルがアウシュヴィッツ強制収容所とのかかわりについて謝罪したのは、後にも先にも一九九五年の一度だけだ。ホロコーストを経験したノーベル平和賞受賞作家のエリ・ヴィーゼルに対する謝罪である。ヴィーゼルは強制収容所で母と妹を亡くしたが、自らは生き延びた。収容所での体験を踏まえた『夜』（村上光彦訳、みすず書房、一九六七年、新版二〇一〇年）という簡潔なタイトルのドキュメンタリー小説は、世界中の多くの学校で課題図書となった。ヴィーゼルは、一九九五年末、ペンシルベニア州ピッツバーグで行われる「スリー・リバーズ・レクチャー・シリーズ」で講演することになっていたが、バイエルが企業スポンサーに名を連ねていると知るとすぐにキャンセルした。収容所を生き延びるという苦難を味わったヴィーゼルは、ＩＧファルベンが自分の家族、そして他の多くの人々にどのような悪行を行ったか熟知していた。このキャンセルの知らせを聞いた当時のバイエル社会長兼CEO、ヘルゲ・H・ヴェーマイヤーは、個人的にヴィーゼルの自宅を訪問した。ヴィーゼルは『ピッツバーグ・ポスト・ガゼット』紙にこのときの出来事についてこう回想している。「彼の態度には感銘を受けました。私が事情を説明し、『バイエルは一度も謝罪していないんですよ』と率直な言葉を述べると、彼は『では私に謝罪させてください』と言いました。そのとき、私は、彼は実際にそうするだろう、しかもきちんとした形で行うだろう、と確信しました」

そして実際、ヴェーマイヤーは謝罪した。ヴィーゼルの講演の前に、自社がナチスと提携して行った行為に対して「ショックと忸怩（じくじ）たる思い」を抱いていると謝罪の言葉を発したのである。彼はさらに、「以前とは異なる未来を築き、より深く理解し合い、よりよい世界を作っていかねばならないし、そうするチャンスを与えられている」と感じている、と続けた。ヴィーゼルもヴェーマイヤーに個人的な責任があると思っていたわけではなく、講演の中でも「IGファルベンが行った罪はあなたの責任ではありません」と言明した。実際、一九四三年生まれのヴェーマイヤーに責任を問えるはずもなかった。謝罪は正しい方向への第一歩になるはずだったが、残念ながら、この後悔の念はバイエル社全体のものというより、ヴェーマイヤー個人のものであることが次第に明らかになっていく。

バイエルはそのまま、第二次世界大戦後の解体以降継続していた、IGファルベン時代の出来事からできるだけ距離を置く路線を歩み続けるだろうと思われたが、そうはならなかった。ヴェーマイヤーは二〇〇四年に退任したが、それから二年後、バイエルは暗い歴史を称揚するような行動をとったのだ。アウシュヴィッツ工場を直接指揮する責任者であったフリッツ・テル・メールは、前述の通り、残虐行為への関与により懲役七年の刑を宣告されたが、四年服役しただけで釈放され、一九五六年にはバイエルの監査会会長に任じられた。テル・メールは七年もその職にあった――戦争犯罪によって刑務所で過ごした四年間より三年も長い期間だ。ヴェーマイヤーの謝罪の言葉があったにもかかわらず、二〇〇六年、バイエル社はテル・メールの墓に大きな記念の花輪を献じ、暗い過去の上塗りをしたのだった。

現在のバイエルと訴訟問題

物議をかもす恐怖の歴史にまみれたバイエルは、今日なお悪評から逃れられないようだ。バイエルの活動を監視する目的で、CBG（バイエルの危険に反対する団体連合）ネットワークという国際的団体が組織され、世界中でバイエルの問題となる活動を摘発し続けている。

二〇〇六年、CBGネットワークは、温室効果ガス排出量を大幅に削減したというバイエルの主張が根拠のないものであるばかりか、偽りの情報からなる虚飾に満ちたものであることを明らかにした。CBGネットワークはまた、二〇一一年、バイエル・クロップサイエンスが、同社の中でも最も危険な殺虫剤の生産をようやく中止したことを報じたが、その際に会員のフィリップ・ミンクスはこうコメントした。

これは、数十年にわたりこれらの危険きわまりない殺虫剤に反対して闘ってきた世界中の環境保護団体にとって、重要な意味を持つ勝利です。しかし、バイエルが、二〇〇〇年までに「第一種」に分類されるすべての製品から撤退すると述べた公約を守らなかった事実を忘れてはいけません。バイエルがこの公約を実践していれば、多くの命が救われたことでしょう。時限爆弾のように危険なこれらの化学物質からもう利益が得られなくなった段階でようやく生産を中止するというバイエルの態度は、遺憾と言うしかありません。

CBGネットワークはさらに以下のような声明も発表している。

バイエルは殺虫剤の世界シェアの二〇パーセントを握っている。世界保健機関（WHO）の推計によれば、年間三〇〇万から二五〇〇万の人々が殺虫剤中毒の被害を受けている。少なくとも四万人が殺虫剤によって命を落としており、報告されていない事例はさらに多く存在すると推測されている。バイエル製品は毎年何百万もの被毒案件を引き起こしている。

バイエルはまた、薬物についても何度も危険性を指摘されている。かつて広く利用されていた月経困難症薬「ヤーズ」や経口避妊薬「ヤスミン」がそうだ。これらに含まれるドロスピレノンという成分は、摂取者が塞栓症や血栓症を患う可能性を高める。バイエル薬品のイグザレルトもまた非難の的になっている。CBGネットワークは二〇一二年にその危険性を指摘しているが、この抗凝固剤に対する懸念は今なお取り払われていない。イグザレルトによって多くの人が命を落としており、この製品の宣伝方法についても疑念が呈されている。危険性が高いにもかかわらず、値段の高さに見合うだけの効用がない薬が市場に押し込まれているのだ。バイエル社の取締役会はこの事実に責任がある。

CBGネットワークのクリスチアーネ・シュヌラは次のように述べている。

血管閉塞や出血、心血管疾患、肝臓障害といったさまざまな問題が報告されており、イグザレルトを脳卒中予防のために大規模に使用することは望ましくありません。従来から存在する薬物と比べて特別な効用をもたらさない製品には、原則として規制当局の承認を与えるべきではありません。

イグザレルトの危険性をめぐっては、今なお多くの裁判が進行中だ。

CBGネットワークはまた、バイエルが過去の歴史を否定し続けていることに関しても、二〇一三年に警鐘を鳴らしている。

一八六三年八月一日、実業家のフリードリヒ・バイエルと染物師のヨハン・フリードリヒ・ヴェスコットが、「フリードリヒ・バイエル社」を設立した。当初は合成染料を製造していたが、やがてさまざまな製品に手を伸ばしていった。一八八一年に株式会社となり、国際的な化学企業へと発展した。一九二五年、バイエル社は総合化学会社IGファルベンの一員となった。

創業一五〇周年となる二〇一三年、バイエルはさまざまな記念式典を執り行った。ケルンで開かれたイベントには一〇〇〇人以上のゲストが参加し、当時のドイツ首相アンゲラ・メルケルや、ノルトライン＝ヴェストファーレン州首相だったハンネローレ・クラフトも招待された。また、飛行船型熱気球「バイエル号」が建造され、バイエル社が所在する五大陸を回ってプロモーションを行った。しかし、これらのイベントで、同社の歴史の不都合な時期に触れられることは一度もなかった。環境汚染や殺虫剤中毒、従業員の抗議や第三帝国との連携といった話題は完全に無視された。

CBGネットワークのフィリップ・ミンクスはこう語る。

悪名高いIGファルベンの一員として、バイエルは人間の歴史でも最も残虐な犯罪に関与しました。子会社がガス室で使用されたツィクロンBを供給していたのです。IGファルベンはアウシュヴィッツに巨大な工場を建造し、強制労働者を宿泊させるために、自らの手で収容所を運営しました。三万人以上が強制労働によって命を落としました。ヒトラーが世界を相手に戦争を行うことができたのは、IGファルベンによる燃料、軍需物資、ゴムの献身的な供給があってのことだったのです。

7章 ケロッグ

コーンフレークと性をめぐる争い

一九世紀には「よい生活」を送るという考えがはやり、過度の消費が促進されたが、それにともなって健康を害する人間も多く出てきた。つまり、一九世紀末、発展を遂げつつある大半の国々で、健康が非常に大きな問題になっていたのだ。ワクチンや現代医学が登場する以前の時代に、ありきたりの病気がどれほど恐れられていたかを想像するのは難しい。医師への不信感も広がっていたが、それも当然だ。当時の医療は、病気自体と同じくらい、いやそれ以上に、野蛮で苦痛を与えるものだった。「いんちき薬」は現代でも話題になることがあるが、かつてはほとんどすべての医療がいんちき薬と言ってよいものだったのである。

健康的な生活様式の必要性が喧伝されるようになったのは、この一九世紀末のデカダンスの時代からだ。何人もの人々がこの運動の最前線に立ったが、良きにつけ悪しきにつけ、ジョン・ハーヴェイ・ケロッグほど有名な人物はほかにほとんどいない。ジョン・ハーヴェイは、弟のウィル・キースと力を合わせて健康的な食品を作り出そうと努め、その結果出来上がったシリアルが、のちにコーンフレークとして知られることになった。この簡素なフレークはもともと、健康的で清らかな生活を送るために役立つことを目的として開発されたが、その背後で展開された歴史はフレークのように味気ないものではなかった。アメリカで最も有名な朝食用シリアルを作り出した男は、マスターベーションや性的興奮、そしてあらゆる種類の性的関係を忌み嫌っていた。教会一致運動（エキュメニズム）の支持者でありながら、人種的純粋主義者でもあった。シリアルによってアメリカの朝食が劇的に変わろうとする中、ケロッグ兄弟は、アメリカの象徴ともいうべきコーンフレークをめぐって、狂信的な信念と商業的な成功という相反する力によって永遠に引き裂かれることになった。

ジョン・ハーヴェイ・ケロッグ

ジョン・ハーヴェイ・ケロッグは、ジョン・プレストン・ケロッグとアン・ケロッグの五番目の子として、一八五二年二月二六日、ミシガン州の小さな田舎町タイロンに生まれた。貧しい境遇ではあったが、ケロッグ家は強い信仰心を持って困難に立ち向かっていた。病弱なジョンは、幼いころ、当時死の病として恐れられていた結核を患った。結核のワクチンがはじめて人に用いられるのは一九二一年で、大規模に利用されるのは一九五〇年代に入ってからのことだ。ジョンは結核のために九歳まで学校に通うことができなかった。

ジョンの少年時代には繰り返し語られてきたエピソードがある。ある日、ジョンは友人の少年が目の前のテーブルで瀉血(しゃけつ)治療を受けるのを見学したが、血を見て動揺し、医者にだけは絶対なりたくないと母に向かって叫んだ、というものだ。その後のジョン・ハーヴェイ・ケロッグの人生を考えると、この言葉は皮肉に聞こえる。彼はある意味では医者になったからだ――いろいろな薬を試して悪戦苦闘していた同時代の医者とは異なるが、当時としては革新的な方法を実践したまったく新しいタイプの医者だ。そして新たな医療の先駆者となり、世に広めたのである。

ケロッグ一家はやがて同じミシガン州のバトルクリークに引っ越し、ジョンの父はほうきの製造工場を設立した。この商売にあまり乗り気ではなかったが、まずまずの成功を収め、そのうち息子たちもほうき工場で父の仕事を手伝い始めた。しかし、今の時代でもそうだが、すべての少年が工場での長時間の肉体労働に向いているわけではない。ジョン・ハーヴェイはこの一〇代の時期に、自分は肉体労働派ではないと気づいた。病弱だったこともあり、手仕事より、ためになる本を読むほうが性に合っていたのだ。彼は学校の先生になりたいと思った。当時、非常に尊敬され、十分食べていける給料をもらえる職である。しかし、結局、彼が教師になることはなかった。

ジョンが選んだのは、健康や福利の問題に対処する道だった。この新たな道に彼が興味を持ったのは、宗教がきっかけだった——ケロッグ家は、再臨運動から派生した新たな宗派であるセブンスデー・アドベンチスト教会の敬虔（けいけん）な信者だったのである。この運動の指導者はイエス・キリストが再臨すると主張したが、再臨日とされた一八四四年一〇月二二日には何事も起こらず、この日は「大失望」と呼ばれることになった。しかし、その信者たちはこの経験のあともなお自分たちの進むべき道を模索していた。

ジョン・ハーヴェイ・ケロッグの肖像写真
（1914年ごろ、出典：アメリカ議会図書館）

ケロッグ家の信仰心は篤く、タイロンからバトルクリークに引っ越したときには、タイロンの家を売って得られた資金の一部をアドベンチスト教会に寄付したほどである。ちょうどこのとき、教会は拠点をニューヨークのロチェスターからバトルクリークに移し、出版活動に力を入れ始めていた。ケロッグ家がアドベンチスト教会に金銭的な支援を行う中で、ジョン・ハーヴェイはさらに深く教会の活動にかかわっていく。

アドベンチスト教会の創立に最も大きな役割を果たしたのが、ジェームズ・ホワイトとその妻エレン・G・ホワイトである。ホワイト夫妻はアドベンチスト教会で大きな影響力を持ち、エレン・ホワイトが受けたという「お告げ」は福音としてあがめられた。そのお告げは、信者がどのような生活を送るべきか、どのような信仰を抱くべきかについて指示を与えるばかりか、未来を預言することもあった。エレンの預言に従い、教えを信じる者たちは、アルコールやコーヒー、紅茶といった多くの飲み物を控えることで身体を清潔に保った。アドベンチスト教会の信者はまた、動物の肉を食べることは自らの身体を汚す不潔な行為だと信じ、ベジタリアンになった。この宗派の最大の信仰は身体を純潔に保つことにあった。もともと、心身ともにできるだけ清潔に保てばイエス・キリストの再臨を受け入れやすくなる、と信じられており、再臨が「大失望」という結果に終わったときには、神を受け入れるほど清潔になれなかったためだという理屈をつけ、純潔を求める信仰はさらに深まったのである。

ジョン・ハーヴェイ・ケロッグは、エレン・ホワイトの「お告げ」の源の一つでもあった。彼女は、ジョン・ハーヴェイ・ケロッグがいつの日かアドベンチスト運動にきわめて重要な役割を果たすことになるだろうと告げられた、と夫に説明した。これをきっかけとして、ホワイト夫妻とアドベンチスト運動はジョン・ハーヴェイの将来に干渉し、彼の人生を大きく変えることになる。

一八六四年、一二歳のジョン・ハーヴェイは、正式にアドベンチスト教会のために働き始め、宣伝パンフレットの印刷や配布を担当した。ジェームズ・ホワイトはジョン・ハーヴェイを自らの庇護のもとに置き、教会の印刷業の基本を教えた。アドベンチスト教会のパンフレットの中心は、健康や福利について自説を述べるエレン・ホワイトの記事だったが、その記事の活字を組むのがジョン・ハーヴェイの仕事で、彼はこの時期に人間の身体について興味を持つようになった。

一八六六年、一四歳のジョン・ハーヴェイはベジタリアンになることを誓い、この誓いは一生守られた。同じ一八六六年の九月五日、アドベンチスト教会は、バトルクリークに「ウェスタン・ヘルス・リフォーム・インスティテュート」と呼ばれる病後療養所を開設した。このときには知るよしもなかったが、これはジョン・ハーヴェイ・ケロッグの人生にとって大きな意味を持つ瞬間だった。彼が今なお続く新たな産業を始めて世界にその名を刻むことになるのは、この療養所でのことだったからだ。

医療訓練

自らの信仰の効果を実証するため、アドベンチスト教会の指導層は、信仰心の篤い選り抜きの若者たちを医療関係のさまざまな学校に送り出す方針を打ち出した。一八七二年、ホワイト夫妻のはたらきかけにより、ジョン・ハーヴェイはラッセル・トラル博士の衛生療法学校で五カ月の訓練を受けることになる。従来の医療に代わる新たな医療を提唱したラッセル・トラルは、人間の身体を生理的体系とみなさず、神に属するもの、神によって支配されているものと深く信じていた。病気は神の自然の法が破られたときに生じるものだという考え方を奉じ、肉体の不調は基本的に精神の不調と直接関係していると信じていたのである。彼の衛生療法学校は医学校と呼べるものではなかった。医学や正式な医療行為が教えられることはなく、ホメオパシー療法や食事、生活習慣が健康にとっていかに重要かをトラルが講ずる場所になっていたのだ。この種の学校としてははじめて女性にも門戸を開いたという点では、当時としては進歩的でもあった。実際、受講生の約三分の一が女性だった。

ケロッグはこの学校で五カ月受講したが、ここで行われていた水治療法などの代替医療には感銘を受けなかった。ケロッグはほかにも、患者に一日あたりグラス四〇杯から五〇杯の水を消費させ、身体の内外両方を水で清めるというような療法も教えられた。

現代アメリカでは医学の学位を得るのに八年以上かかるが、当時はそれほど堅苦しい手順はなかった。わずか二年間学んだだけで、一八七五年、ジョン・ハーヴェイはニューヨークのベルヴュー病院医学校で医学の学位を取得した。ここでもホワイト夫妻がジョン・ハーヴェイを援助し、医学校の学費を融資した。ジョン・ハーヴェイは、学位取得後、ロンドンやウィーンに赴いて当時の最新技術を学び、外科の資格を得た。外科の仕事はジョン・ハーヴェイの医師人生にとって大きな割合を占め、彼はその後二万二〇〇〇件以上の手術を行うことになる。

バトルクリーク・サナトリウム

一方、ホワイト夫妻が開いたウェスタン・ヘルス・リフォーム・インスティテュートは計画通りの成果を上げられなかった。この窮地に、ホワイト夫妻はジョン・ハーヴェイに助けを求め、一八七六年、ジョン・ハーヴェイを施設の監督者に任命した。歴史が変わった瞬間である。

故郷のバトルクリークに戻ってきたケロッグ博士は自信に満ちあふれていた。監督者として彼がまず行ったのは、施設の拡張、そして施設名を「バトルクリーク・サナトリウム」に変更することだった。彼がいっしょに連れてきた新しいスタッフは全員しかるべき医学訓練を受けており、すぐれた働きが期待できた。ケロッグ博士は、バトルクリーク・サナトリウムを自らの健康観に沿う施設に作り替え、水治療法のような療法を減らして、より「現代的な」技術を導入していった。現代的な技術とは、健康的な生活を送るためのケロッグ博士独特のプログラムと、実際の医療科学を組み合わせたものだ。

ケロッグ博士は、サナトリウムを運営するだけでは満足せず、あらゆる面を管理したがった。「バトルクリーク・アイディア」なるものを実行するため、エレン・ホワイトの「お告げ」を利用することもためらわなかった。エレンがトランス状態に入っているときに自分の考えを彼女に吹き込んだとも伝えられている。するとエレンは、ケロッグの考えを自分の考えのごとく復唱するというわけだ。彼はまた、健康問題に関するアドベンチスト教会の考えを宣伝する『アドベンチスト・ヘルス・リフォーマー』という会報誌の編集長を務め、一八七九年には誌名を『グッド・ヘルス』に変更した。バトルクリークのサナトリウムで働いている間、彼は五〇冊以上の本を執筆・出版した。必要ならどんな手段をとってでも自分の考えを世に広めようという決意を固めていたのである。

ジョン・ハーヴェイの指揮のもと、バトルクリーク・サナトリウムは健康と福利のガイド役を務め、この種の施設としては世界でも最大のものになった。一般に「ザ・サン」として知られるようになったサナトリウムは、あらゆる身体の不調に対する療法を提供した。それは、保養地のスパと内科診療所が合わさったような施設であり、患者は到着するやいなやX線検査をはじめとする徹底的な身体検査を受け、水浴やマッサージ、運動、食事といった各種療法をほどこされた。

バトルクリークでの生活

一九世紀後半のアメリカの食事は脂肪が多く、その生活様式ともあいまって、胃腸障害や神経衰弱、消化不良などのさまざまな健康問題を引き起こした。ザ・サンはこれらのあらゆる身体の不調に対処する療法を提供していた。

今日の目から見ると、ザ・サンで行われていた療法は奇妙でばかげているように思われるものがほとんどだ。低体重の患者をサンドバッグで覆ったり、チューブなどによって新鮮な空気を送り込んで細菌を追い出す部屋を作ったり、静電気で患者をリラックスさせる檻を用意したり、といったぐあいである。とはいえ、これらは当時としては最も革新的な最新の治療法だった。

しかし、ケロッグ博士は変わった治療法に異常なほど執着する傾向があった。その一つが「結腸撲滅戦争」だ。結腸こそ諸悪の根源だと思い込んだ彼は、一九一五年に『Colon Hygiene（結腸の衛生）』という三六二ページにおよぶ本を執筆した。この本では結腸の機能と治療法が詳述されているが、場合によっては結腸を除去することも必要だと述べられている。ケロッグは結腸がそれほど不潔なものだと思い込んでいたのである。

あらゆる慢性疾患、そして大半の急性疾患の治療において、結腸に注目する必要がある。文明社会で人間の結腸が概して嘆かわしい危険な状態に陥っていることは、もはや疑いようがない事実だ。除去するか矯正するしかないのである。

長年にわたり、ケロッグはザ・サンで数千人の治療にあたったが、そのほとんどが結腸の外科手術だった。彼は結腸を「不潔で忌むべき寄生虫のすみか、病と退廃のパンドラの箱そのもの」と述べている。

身体の中でも最も忌むべき、そして最も注意を引くことが少なかった器官である結腸に近年注目が集まり、科学的調査の対象となっている。その結果、この臓器が「神から与えられた身体」の一部としてとどめられるべきか、それとも、無用で無価値であるばかりか害をおよぼすものとして除去すべきかという議論が活発に行われるようになってきた。

ケロッグは、日光に治癒力があるとも信じていた。彼が発明した発光機が、一八九三年に開催されたシカゴ万国博覧会で展示されたほどだ。電球を利用したこの機械は、さまざまな病を治癒する光と熱を発するという触れ込みだった。ケロッグはさらに、白色が日光を吸収するものと信じて、日光の恩恵を最大限受けられるよう、常に白い衣服に身を包んでいた。治癒力のある光を吸収させる手段として、頭部や耳にアーク灯を当てることもあった。

ケロッグ博士はさまざまないんちき医療器具を作り出したが、本人はそれらがザ・サンの患者に役立つものだと信じていた。電気療法運動ベッド、平手打ち医療マッサージ器、二人用・四人用フットマッサージ器、機械仕掛けの馬、悪名高い「オシロマニピュレーター（マッサージベルト）」、熱気風呂などである。実際、ザ・サンには「振動機械部」という部署まで存在した。ケロッグはまた、音楽には人を運動したい気持ちにさせ、単調な治療時間に患者が抱く退屈感を和らげる効果があることを発見した。患者が治療したい気持ちになる音楽を蓄音機に録音しているほどである。

ザ・サンは高級な療養所として人気を集め、有名人も多く訪れた。劇作家のジョージ・バーナード・ショー、実業家のヘンリー・フォードやジョン・D・ロックフェラー、『ウォール・ストリート・ジャーナル』のオーナー、クラレンス・W・バロンなどである。一九二七年には、有名なオリンピック水泳選手ジョニー・ワイズミュラーもここに滞在した。ケロッグはワイズミュラーの滞在を利用して、理想的な人体として彼の骨格を投影するシャドウグラムを作り出した。ザ・サンに滞在中、ワイズミュラーはケロッグの指示に従ってベジタリアンの食事を実践し、ザ・サンのプールで自己記録を更新した。この出来事はケロッグのプログラムに箔をつけることになった。

やがて、バトルクリーク・サナトリウムにジョン・ハーヴェイの弟、ウィル・キース・ケロッグが経理担当として加わることになる。ウィル・キースはサナトリウムの実業面に注力し、これによりジョン・ハーヴェイは自らの健康観をサナトリウムに根付かせることに専念できるようになった。ウィル・キースは四カ月のビジネス課程を修了したところだったが、弟であるがゆえに兄の絶対的権威に異議を唱えないという点で、ジョン・ハーヴェイにとって好都合の人物だった。ザ・サンの従業員には最高で週九ドルの給与が支払われていたが、初年度の看護師は、住居と食事を提供されたとはいえ、給与を支給されなかった。このような待遇は当時としては珍しいものではない。ケロッグにしてみれば、自分のもとで働けるという名誉は無給という待遇を補って余りあるということだったのだろう。ケロッグは、健康という大義に捧げる誠実な心を示すあかしとでもいうかのように、自分も無給で働いていると誇らしげに語ったが、実際のところは、講演や本から得られる収入だけで十分だったのである。従業員は肉を食べることを禁じられた。ケロッグが『Shall We Slay to Eat?（食べるために殺すべきか）』という本を著していることを考えれば、この要求は不思議なものではない。彼は肉こそ多くの病の原因だと信じていた。

ケロッグは、ベジタリアンの生活を送ることが健康に非常によい影響を与えるものと信じ、従業員ばかりでなく、ザ・サンのすべての患者に菜食主義を強要した。しかし、このプログラムに完全に従うことができない者も多く、そういう患者たちは近くのレストランでこっそり肉を食べていた。予想された事態ではあったが、ケロッグ博士はこのような患者の行動に大きな不満を募らせた。ザ・サンの食事は厳選されたもので、クリームソースをかけたカリフラワー、セロリ、ダイコン、ヨーグルト、チーズ、煮込んだレーズン、アップルパイ、バナナ、健康ビスケット、パイナップル・ソース、カフィア・ティーなどが出された。塩と砂糖は不要、不純なものとみなされ、提供されなかった。

サナトリウムでは毎日のメニューが印刷され、そこには一日のプログラムも掲載されていた。以下はその一例で、一九二七年一一月一六日のものである。

午前七時　体育館――胸部を鍛える運動
午前七時二〇分　応接室――朝の祈り
午前七時四〇分～八時四〇分　朝食
午前八時三〇分～九時　体育館――女性用特別授業、フォークダンスなど
午前九時～九時三〇分　体育館――男女共同訓練、行進
午前九時三〇分～一〇時　体育館――ゲーム、野球（男性対象）

午後〇時四五分～二時　昼食
午後二時～三時　ロビー――オーケストラ・コンサート
午後三時～四時　体育館――ゲーム、運動療法、バレーボールなど
午後六時～六時四五分　夕食
午後七時　体育館――軽い運動、音楽とともに大行進
午後八時　応接室――W・H・ライリー博士による講義

ケロッグは人間の結腸が不潔なものだという考えをさらに追究し、便秘に悩まされるのは人間だけで、それは肉を食べることと関係があるのだと証明しようとした。動物の研究を目的に各地を飛び回り、草食動物はしばしば腸を蠕動（ぜんどう）させることを発見した。そこで彼は、人間にも同じことを経験させればよいと思いついた。この問題を解決するために発明したのが、患者の消化器管にお湯を注入して洗浄する「結腸洗浄器」である。ケロッグは患者の食事のさらなる改善を目指し、新たな食品の開発に取り組むことになる。

ケロッグの一風変わった考え方は、食事だけでなく、人間のセクシュアリティや結婚、生活全般におよんだ。一八七九年、彼はエラ・エルヴィラ・イートンと結婚した。エラの知性に惹かれてのことだと言われているが、ケロッグは二人に肉体関係がないことを誇らしげに喧伝し、実際、

新婚旅行中もずっと本を執筆して過ごした。ケロッグ夫妻は実の子をもうけることなく、世界中から四〇人以上の子供を養子として引き取った。

ケロッグ博士の書いたものを読むと、時代を先取りするような鋭い医学理論も見られるものの、その主張の多くはきわめてばかげたものだと言わざるをえない。たとえば彼は、結婚すると女性は肉体的な変化を経験すると信じていた。女性が再婚して相手の子供を産むと、その子供は実の父親ではなく、最初の夫に似ると主張した。また、黒人女性が一度白人男性の子をもうけると、その後生まれる子は実の父親が黒人であっても肌が白に近づく、とも信じていた。結婚適格者についても独自の意見を持っており、たとえば、犯罪者や、体が大きすぎたり小さすぎたりする人は結婚するべきではないと考えていた。夫婦間に年齢差がありすぎることも望ましくないと考え、異人種間の結婚にも反対した。

性に対する嫌悪はダンスにまでおよんだ。ワルツのようなカップルで踊るダンスは、深夜まで騒ぎ回ったり、露出の多い衣装を着用したりと、風紀を乱すものだと確信し、このような風紀の乱れは心身にダメージを与えると信じ込んでいた。

性や禁欲などで頭がいっぱいのケロッグが特に敵視したのが、マスターベーションによる悪影響だった。ケロッグの信条の核心をなすのは心身両面の純潔を保つことであり、性的なことを考え、頭の中で「ふしだらな物思い」にふけるだけでも、「悪習」に満ちた「不道徳な生活」へと堕ちていくきっかけになるとされたのだ。マスターベーションへの嫌悪のあまり、ザ・サンでは「治療」と称して女性患者の陰核に石炭酸をほどこしたり、この悪癖予防のために患者に電気ショックを与えたりした。

「孤独な悪癖」と呼ばれたマスターベーションの悪影響については、彼の『Plain Facts For Old And Young（老若男女のための明らかな事実）』に詳述されている。

売春行為が忌むべき罪であるとすれば、自らを汚すマスターベーションは二重に忌むべき罪である。自然に反する罪として、男色行為に匹敵するものと言えよう（『創世記』一九章五節、『士師記』一九章二二節参照）。これは広く行われているがゆえに、性の悪癖の中でも最も危険なものであり、自然ではない方法によって性的な刺激を生み出す行為だ。自瀆、自慰、マスターベーション、オナニー、手淫、ひそかな愉しみなど、さまざまな名称で呼ばれている。一度この快楽を知ると、ほとんどとどまることがない。何度も繰り返すうちに、そのなかから逃れられなくなってしまうのだ！　幼いころに始める者もいるし、一生続くこともある。

マスターベーションにとりつかれたケロッグ博士は、おおげさな言葉を使った脅し作戦に出る。

この悪癖に陥った少年を例に出してこう続ける。

疑われることのない腐敗――このような悪事が行われているなどつゆ疑うことのない両親、子供は純粋さの化身であると信じる両親は、注意深く観察してみれば（本人がやっていないと証言してもあてにならない）、純真だと思われたわが子が堕落にまみれていることに気づくだろう。この真実に突き当たって恐怖におののく家庭は数多いが、すでに手遅れになるまで事態が進んでいるケースもある。

この問題について、最近、両親がいかに不注意で真実を見抜けないかを明らかにするような事例が私たちの療養所で起こった。ある両親が、息子の精神状態が正常ではないらしいと気づき、友人を介して私たちに息子の症状を知らせ、アドバイスを求めてきた。私たちはその徴候の説明から真の原因を推測し、息子を注意深く見守るよう助言した。その後その青年は私たちの直接の保護のもとに置かれ、私たちは特に治療をほどこすでもなく、さらに観察を続けた。自慰に特徴的な症状が見られたにもかかわらず、父親はそんなわけがないと強く主張した。息子を子供のころから身近で見守ってきた父親は、彼がそのような行為を行うことはないと信じ込んでいたのだ。しかも、その青年は長きにわたって信心深い態度を示していたから、なおさらそのようなおそろしい罪を犯すことなどありえないと思い込んでいたのである。

しばらくして、その行為におよんでいる現場を看護師が発見し、事実はどうにも否定しようのない形で暴露された。

この青年のケースは、唾棄すべき悪徳によって「神から与えられた人間の身体」がどれほどひどい目にあうかを証拠立てた悲しむべき例である。かつては聡明で親切、思いやりのある活発で頭のよい男の子で、母親の自慢の種、父親の希望の星だった若者が、知性のかけらもないような状態に陥ってしまったのである。うつろな目と無表情な顔からは、愚鈍さしかうかがうことができない。放っておけば、最後にとった姿勢のまま何時間もとどまっている。手を上げたかと思えば、付添人がその手を下ろして休ませてあげるまで、ずっと上げたままの状態にしている。朝に起床させるのも一苦労で、飲食や散歩も強制的に行わせる必要がある。常に無気力状態にあり、ごく簡単な質問に答えさせるのにも大変な苦労を強いられる。生理的な欲求に自ら反応することもなく、粗相する始末である。つまり、人間たるべき資質はほとんどすべて失われ、そこにあるのは人間の身体をした残骸なのだ——精神は荒廃しきり、肉体も生きながらにして崩壊し、この世に希望はなく、来世への見込みもなく、八方ふさがりの人生だ。この国の精神科病棟には、心身ともさまざまな荒廃段階にあるこのようなあわれな患者たちが何百人も存在していることだろう。

ケロッグは「不道徳な」「邪悪な」「危険」「堕落」「破滅的な」といったおおげさな言葉を使って、マスターベーションについてさらに詳述する。彼は、自慰を続ければ、膀胱結石や癲癇を発症する可能性があり、お仕置きとしておしりを叩かれたり鞭で打たれたりするだけで性的な刺激を受ける子供も出てくる、と危惧していた。

おそろしい事態に思われるだろうが、恐れる必要はない……ケロッグ博士によれば、両親が子供をこのような状態に陥らせないよう予防することは簡単なのだという。注意すべき徴候はなんと三九もある。ケロッグが性というものにどれほどとりつかれていたかを十分味わうために、以下のリストに目を通してほしい。念のために言っておくが、このばかげた引用はすべてケロッグの論文をそのまま書き写したものである。

それまで健康だった子供が突然やつれて不自然なほど顔色が悪くなり、唇と歯茎も血の気を失うなど全般的な衰弱を示したとき、そして疲労の一般的な症状を呈しているにもかかわらず、内科疾患や寄生虫、悲しみ、過労、空気汚染、食あたりといった原因が思い当たらず、転地療法や適当な治療手段によってすぐに改善が見られない場合には、その子がどれほどそんなことをしそうにないように思われようとも、孤独な悪徳のなせるわざであると言ってまちがいないだろう。以上のような状況でこの判断が誤りである可能性はほとんどない。……身体の発育が早熟だったり遅れたりというのは、今述べた全般的な衰弱などとも関連する症状だ。勉強のしすぎや過労、運動不足などの自然の原因に帰せられない場合は、これも自瀆によるものと言ってよい。幼年期に性器をいじったり、早い時期に悪習を身につけたりすると、性的に早熟な成長が促されるが、それは同時に生気を奪い取り、思春期の正常な発育にふさわしい活力の発現を妨げることにもなる。その結果、身体は小さいままにとどまり、しかるべき発育も促されない。身体ばかりでなく、精神も幼いままにとどまってしまう。肉体よりも精神の発育が妨げられることもあれば、その逆のケースもある。男性の身体の発育不全の例としては、声がしかるべき音量、調子にならないとか、あごひげがしっかり生えないとか、胸や肩がたくましくならないといったものが挙げられる。こういった身体の発育不全により、精神もまた高貴な人間になるべき性質への発展を妨げられる。女性については、生理の不調や発育不全（骨格がしっかり整わないとか、異常に痩せているなど）、女性らしい優雅な体つきになれないことなどが挙げられる。このような徴候が見られたらしっかり調査する必要がある。おそろしい悪習が原因である可能性がきわめて高いからだ。

子供の性格に突然変化が見られたときも疑念を抱くべきだ。それまでは陽気で明るく、従順で穏やかだった男の子が、突然むっつりと不機嫌になり、怒りっぽくいらいらした様子を見せ、反抗的な態度を示すようになったら、汚らわしい行為の影響を受けている可能性がある。また、生まれつき明るくて愛想がよく、人を信用していた女の子が、特別な理由もなくふさぎこんで悲しそうで、不満げに不機嫌な様子を見せ、人を信用しなくなったら、重大な災いにとりつかれている可能性がある。こういった子供は注意深く行動を観察しなければいけない。性格の変化の原因となるものが見つからないようであれば、真の原因は一つだけだ。孤独な愉しみと見てほぼまちがいないだろう。

はっきりした理由もないのに知力が減退している場合も、悪い習慣によって引き起こされている可能性がある。これまでは物覚えがよく、授業の内容も楽々と習得し、記憶力もよかった子供が、これらの能力に明らかな減退を示し、物覚えが悪くなって授業が理解できなくなり、忘れっぽく、注意力がなくなってきたら、おそろしい悪徳に身をゆだねている可能性が高い。肉体的にも精神的にも、破滅の道を突き進んでいると言っても過言ではない。そんな子はしっかり観察すること。子供があてにならない態度を示しだしたら、これも悪習を疑うべきだ。これまではしっかり者だったのに、突然そわそわして不注意になり、忘れっぽく、信頼できない態度をとる子供になってしまったら、孤独な愉しみによるものである可能性が高い。この悪徳は子供を不誠実な人間にしてしまう。それまで正直だった子が、この悪徳の影響によって、うそばかりつくようになってしまうのだ。

いつわりの敬虔――いや、心得違いの敬虔と言うべきか――もまた、この悪習によって引き起こされる特徴である。陽気でよく笑い、外を遊び回っていた子供が、徐々に落ち着きのあるまじめな子供になる。周囲の友人たちは、小さなクリスチャンの誕生だと思い、その敬虔さにいたく感動して喜ぶ。深刻ぶった顔の裏に隠された真の原因をつゆほども疑おうとしない。小さな罪人が汚らわしい行為を行っていようとは夢にも思わないのだ。友人たちの勘違いを利用し、この子は他の犯罪にも偽善的な態度をとり、信心をよそおって孤独を求めるふりをする。子供が信心深くなった場合、両親はその原因を突き止めるべきだ。

この悪習を常習的に行っている男の子は、女の子と交流するのをいやがることがある。しかし、この態度は一部の著作家が指摘しているほど多く見られるものではない。女の子の場合は、逆の傾向のほうがよく見られるほどである。女の子は男の子と交流したがり、早くも浮気な徴候を示し始めるのだ。

思春期になっても胸が大きくならないのは、自瀆を行っている女性によく見られる結果である。ただし、乳腺が未発達の女性が全員この悪徳にとりつかれていると言うことはできない。特に現代では、常に身につけられている「パッド」なるものの熱と圧力によって胸の自然な発達が妨げられているという事情もある。しかし、この徴候にも注意すべきであることは変わらない。

この悪徳にそまった女の子によく見られるのが、爪を噛む癖である。こういった女の子の爪の付け根は赤く腫れていることが多い。（たいていは右手の）人差し指か中指、あるいは両方の指にいぼができていることも多い。

目も影響が現れやすい箇所である。もともとそなわっていた輝きが失われ、窪んだようになり、ふちが赤くなって痛みも出て、周囲に黒い隈（くま）ができていれば、悪習の可能性を疑うべきだ。特に子供の場合は注意深く観察する必要がある。ただし、これらの徴候の一部、あるいはすべては、消化不良やあらゆる種類の衰弱、特に睡眠不足によっても引き起こされるものなので、こういった症状が見られたからというだけで悪徳にそまっていると判断してはいけない。他に合理的な理由が考えられる場合についても同様である。

これらは、ケロッグ博士が提示した三九の例のごく一部にすぎない。そのリストをすべて読み通せば、ケロッグにとっては、なで肩から顔色の悪さ、ニキビ、喫煙まで、ほとんどあらゆるものが自慰の徴候になってしまうことがわかる。勇敢さが徴候として挙げられる一方で、内気さも一例に数え上げられており、リスト自体矛盾しているようなありさまである。ニキビはホルモンの分泌によって思春期によく見られるものだということも今では常識だ。想像しがたいことかもしれないが、ケロッグがこのように自慰にとりつかれてしまったことによって、世界が変わることなる。ケロッグ博士は、助けを求めているにちがいない人々を救う療法を模索することになった。

コーンフレークの発明

一八七七年、ケロッグはベジタリアン用の食品の開発と販売のため、サニタリウム・ヘルス・フード社を創立した。弟のウィル・キースも加わり、長時間を費やしてさまざまな食品が開発され、ピーナッツと小麦グルテンを主原料とした肉の代用品「プロトーズ」など、多くのアイディアが試された。ピーナッツバターの先駆者とも言うべき「ナッツバター」も開発されたが、この食品では、ナッツを煎るのではなく、煮る形で利用している。一八九八年、ケロッグは「滋養食品の生産手順」の特許を与えられた。

性やマスターベーションの不潔な行為にどう対処するかということがケロッグ博士の心に重くのしかかった。そこで、彼は弟とともに、患者の飢えを満たすと同時にその性欲を抑制するような食品の開発に取り組んだ。ケロッグ兄弟がザ・サンの患者に食べさせた食品の一つが、小麦を原料とした一種のシリアルである。もっとも、小麦シリアル食品は、一八九〇年にすでに、コロラド州デンヴァーのヘンリー・パーキーによって発明されていた。パーキーはこの枕のような形をした乾燥ビスケットをまずベジタリアン専門レストランに売り、一八九二年には東海岸で生産・配給するほどにまで事業を発展させた。ケロッグはその製品を購入してザ・サンの患者に食べさせたが、患者の感想はかんばしいものではなかった。あまりにも味気ないというのだ。その反応を見て、ケロッグはパーキーから特許を買い取ることを思いとどまった。しかし、のちにウィル・キースが兄と袂を分かって「バトルクリーク・トーステッド・コーンフレーク社」を創業したとき、弟はその特許を買い取ることになる。

ケロッグ兄弟は、もっとおいしい、しかし兄が信条とする生活哲学につながるようなフレークシリアルを開発しようと決意した。開発に四苦八苦したものの、一八九四年、ついにコーンフレークが完成した――ただし、それは偶然のたまものと言ってよかった。あるとき、ウィル・キースは、開発がなかなかうまくいかないので、頭を休めるために数日の休暇を取った。仕事に戻ってみると使用していたバターにカビが生えていたので、腹立ちまぎれにバター製造用の攪乳器のクランクを回したところ、フレークが出来上がったのだ。カビによってバターの体積が増大していたため、ちょうどフレークがうまく作れる状態になっていたわけである。最初のフレークの原料は小麦だったが、その製造方法は米やオート麦、トウモロコシにも応用できるものだった。幸運な偶然から製法を見つけ出したのはウィル・キースだったが、ジョン・ハーヴェイはその功績を自分のものにしようとした。夢を見ているときに思いついたのだと主張したのである（ケロッグのホームページでは、数日間放置されていた小麦をローラーにかけたところ、薄いフレーク状になった、と説明されている）。フレークは、ザ・サンの患者と、ケロッグの発行する健康雑誌の購読者だけに独占的に販売されることになった。ケロッグ兄弟は、一八九五年五月三一日に特許申請し、「フレークシリアルおよびその製造法」の特許は一八九六年四月一四日に認められた。

ウィル・キースがかなり早い段階でコーンフレークをもっと大規模に売りたいと思っていたことは明らかだが、これに強く反対するジョン・ハーヴェイはそれを許さなかった。この対立をきっかけに、ケロッグ兄弟の仲には溝ができた。商業を優先させるウィル・キースの考え方は、ジョン・ハーヴェイの熱狂的、献身的な信仰とは対極に位置するものだった。

運命とは不思議なものだ。ポスト・シリアル社を創業したチャールズ・W・ポストは、サナトリウムの常連客だった。一八九一年以降、長期にわたって断続的にザ・サンで暮らしていたのである。そしてザ・サン滞在中に、患者に提供される食品に大きな商機を見出した。シリアルの販売に乗り出す前、ポストはうだつの上がらない実業家だったが、ザ・サンで行われている食品の実験・開発を観察して、「ポストゥム」というコーヒーの代用品を発明することに成功した。自分のミッションを果たすことに気を取られていたケロッグは、ポストがザ・サンにやってきて自分たちの考えを盗用したことも気にしていないようだった。しかし、ポストがさらに「グレープナッツ」を売り出して大成功すると、さすがのケロッグ博士も黙っていられなかった。ポストは一九〇一年までに一〇〇万ドルの売上を上げるなど、ケロッグの予想をはるかに上回る成功を収め、これに対してケロッグは彼を盗人呼ばわりしたのである。

私だって巨万の富を築こうと思えば築けたが、全世界をよりよい場所にし、人々がよりよい生活を送るのに役立てるのでなければ、金などいったい何の意味があるだろう。

兄弟は次々とすばらしいアイディアを思いついたが、ウィル・キースは、ザ・サン外部の人間が自分たちの健康食品を利用して成功するのを苦々しい思いで見つめていた。バトルクリークは朝食シリアルの聖地となり、世界中の人々が製造法をまねしようとザ・サンにやってきた。実際、一九一二年までにバトルクリークでは一〇〇社以上のシリアル業者が設立されたほどだ。しかし、大半の企業は、ケロッグやポストのような大手に比べて質の低い製品しか作れず、成功することなくすぐに消えてしまうケースがほとんどだった。

ウィル・キースは兄のやりかたにうんざりし、独立を果たそうと考えていたが、一九〇二年に悲劇的な出来事が起こり、その計画は一時棚上げされた。ザ・サンの本館が火事で焼け落ちてしまったのだ。ウィル・キースはこの危急の時に兄を見捨てることはできなかった。ケロッグ博士はすぐに、愛するバトルクリーク・サナトリウムを以前よりさらに大きくすばらしい施設として再建する計画を立てた。ウィル・キースは再建が行われている間はザ・サンにとどまって力を貸したが、やがて独立計画を再び軌道に乗せ、健康へのミッションにとりつかれたジョン・ハーヴェイのもとを離れて独立することになる。

一九〇六年、ウィル・キースは、朝食フレークの味を改善して魅力ある商品にするため、兄に無断で砂糖を加えた。ジョン・ハーヴェイにとってこれはおそろしい罪とも言うべき行為だった。そして同年、ウィル・キースはバトルクリーク・トーステッド・コーンフレーク社を創業、一方、ジョン・ハーヴェイはサナトリウム内だけでシリアルを売ることに固執し続けた。ジョン・ハーヴェイは、人生のミッションの一部とも言うべき製品が、自分の施設の名を冠されて商業化されることに非常な怒りを覚えた。ウィル・キースはすぐに年商一〇〇万ドルを誇る企業のトップとなったが、弟に対するジョン・ハーヴェイの感情は悪化の一途をたどり、二人の仲はさらに険悪なものとなっていった。

一九一〇年、ジョン・ハーヴェイはザ・サンにおける自社の名称をケロッグ・フード社に変更した。ウィル・キースはこれを挑発行為とみなし、こちらもケロッグ・トーステッド・コーンフレーク社に改称して反撃した。彼はさらに、シリアルの一箱一箱に自らの署名を印刷し、「模造品に注意。この署名のないものは偽物です」という言葉も加えた。

同年、一族の不和は法廷に場所を移すことになる。ウィル・キースがジョン・ハーヴェイを提訴したのだ。ジョン・ハーヴェイのほうでも、家族の名を無断で使ったとして反訴した。彼にはケロッグのブランド名を高めて一般家庭でもおなじみのものにしたのは自分だという自負があり、その名を使ってよいのは自分だけだと考えていたのである。一九二〇年、ミシガン州最高裁判所は、ウィル・キースにケロッグの名を使うことを許可する最終判決を下した。進歩的な実業家だったウィル・キースは、シリアル工場を六時間ごとの四つのシフトに分けて運営し、地元のデトロイト経済にも多くの雇用を創出した。

ウィル・キースはまた、チャールズ・W・ポストの範に倣い、革新的な販促方法の開発にも注

ケロッグのシリアルのヴィンテージ広告
（1915年ごろ、出典：アメリカ議会図書館）

力した。その後の数十年、ケロッグの広告は雑誌や新聞、広告板に頻繁に登場し、さまざまな販促キャンペーンが行われた。「ブラン」という食品には「これで便秘が永遠に一掃されます」の宣伝文句が使われ、ニューヨークのタイムズ・スクエアに「アイ・ウォント・ケロッグ」という文字が書かれただけの約一五メートルの巨大広告板が登場したこともあった。

ケロッグのシリアル販促戦略の最高傑作は、「食料雑貨店主にウインクすればもらえるよ」キャンペーンだろう。食料雑貨店主に向かってウインクすれば、ケロッグ・コーンフレークの無料見本が一箱もらえるというのだ。このキャンペーンはケロッグの名がお茶の間に浸透することに大きく貢献した。

ケロッグのシリアルのヴィンテージ広告（1919年ごろ、出典：アメリカ議会図書館）

晩年

人生の晩年、ジョン・ハーヴェイはその特異な考え方をさらに突きつめていった。ナチスが優生思想を悪用するはるか前、一九〇六年の時点で彼はすでにこの思想を熱心に奉じていた。二〇世紀前半にはやった優生思想は、複雑な背景事情を持つとはいえ、とても受け入れられるものではない。それは偏狭と人種差別そのものだった。ジョン・ハーヴェイは、バトルクリークに「人種改良財団」を共同創立し、資金も提供したが、この人種差別的な団体の目的は人種の純血を保つことだった。ケロッグは、夫婦の血筋をしっかり確認し、白人種が純血を保つようコントロールできる登録名簿を作成すべきだと主張した。彼は人種隔離政策の支持者でもあった。人種改良財団の人々も、精神疾患を抱える人や犯罪者などの「よい血筋」を持たない人間は子供を持つべきではないと信じていた。当時は著名人の中にも優生思想を信じる者が多く、セオドア・ルーズヴェルト大統領やウィンストン・チャーチル、（皮肉ではあるが）ヘレン・ケラーなどもそうである。

ケロッグ博士のザ・サンは、大恐慌時代に苦難のときを迎える。それまで順調に推移していたサナトリウムの経営は、患者が七五パーセントも減るという破滅的な状況に陥った。一九三〇年、ケロッグ博士はアドベンチスト教会と仲違いし、ザ・サンを後にした。一九三〇年代半ばに入るとサナトリウムは三〇〇万ドル以上の負債を抱え、一九三三年、破産管財人の管理下に置かれることになった。ミシガン州を去ったケロッグは、フロリダ州で新生活を始め、別のサナトリウムを創設した。ウィル・キースは、兄のバトルクリーク・フード社を一五〇万ドル（現在の貨幣価値で約二一〇〇万ドル）という好条件で買収すると申し出たが、ジョン・ハーヴェイはこれでも金額が低すぎると思い、侮辱されたと感じた。ケロッグ博士は医学の世界で働き続け、高血圧と心臓病の危険性を認識するなど、先見の明を示した。しかし、フロリダ州で過ごす晩年には、医学が彼の時代錯誤の理想を超えて進歩し、ケロッグ博士も存在感を失っていった。

ケロッグの博士の死

一九四二年一〇月、ウィル・キースは兄が住むフロリダ州に向かった。気乗りはしなかったが、ビジネス関係の問題を議論する必要があったのだ。またいつものような口論になるのかと思いながらフロリダの地に到着したウィル・キースだったが、そこで目にした兄は自分だけの世界に生きていた。彼は現実と空想の区別もつかず、何事かとりとめもなくひとりごち、かつての決断力に満ちた頭の切れる人間の面影はなかった。シリアルをきっかけとした兄弟の不和は二人の関係に決定的なひびを入れたが、今やジョン・ハーヴェイがほとんど正気を失う状態に陥ったとあっては、もはや和解は考えられなかった。ジョン・ハーヴェイは死の床で便箋七枚にもわたる謝罪の手紙をウィル・キース宛に書いたものの、弟はそれを受け取らなかったと言われている。その後兄弟が言葉を交わすことは二度となかった。ジョン・ハーヴェイは一九四三年一二月一四日に九一歳の天寿をまっとうした。ウィル・キースが息を引き取ったのは一九五一年一〇月六日で、こちらも享年九一だった。

現在のケロッグ社

ケロッグ兄弟は生前お互いにまったく異なる性格を示したが、その対立は死後も続いているようだ。兄とは違って優生思想を奉じることのなかったウィル・キースは、一九三〇年にW・K・ケロッグ財団を設立したが、公式ホームページによれば、この財団のミッションは以下の通りである。

W・K・ケロッグ財団は、朝食用シリアルの先駆者であるW・K・ケロッグによって一九三〇年に設立された。ケロッグはその目的を「……直接、間接を問わず、性別、人種、信条、国籍に関係なく、子供と若者の福利、快適な生活、健康、教育、食事、衣服、住居、安全の促進のために助成金を提供すること……」と説明している。現在および未来の運営者とスタッフの指針として、彼は「子供の健康、幸福、福利を促進するものであるかぎりは、好きなだけ金を使ってよい」と述べている。

財団の資金は、主として、ケロッグが設立したW・K・ケロッグ財団トラストから得られたものである。分散ポートフォリオのほか、トラストは依然としてケロッグ社の株を相当数保有している。ケロッグ社と長きにわたって関係を築いてきたとはいえ、財団はケロッグ社からは独立した委員会によって運営されている。財団の収入は主としてトラストの投資によるものである。

ケロッグ財団のプログラムは時代とともに発展し、変わりゆく社会のニーズに対応した革新的なものであろうと努めている。今日では、世界最大の私立財団の一つとなるまでに成長し、アメリカ合衆国、メキシコ、ハイチ、ブラジル北東部、アフリカ南部で助成金を提供している。

8章 ウィンチェスター 幽霊への発砲

ウィンチェスター・ミステリー・ハウスをめぐる複雑怪奇な物語は、カリフォルニアに最も根強く残る伝説の一つである。銃器商の裕福な寡婦サラ・ウィンチェスターが死者の怒れる霊をなだめるために建てたと言われる屋敷には、超自然的で怪奇なうわさがまとわりついている。南北戦争時、そしてそれ以後に夫が製造した武器に恨みを持つ霊がサラにとりついていたというのだ。おおげさに語り継がれてきたうわさを信じるなら、悲嘆にくれる寡婦は苦悶（くもん）の中、霊媒師に助けを求め、「あちらの世界」と交流するために定期的に降霊会を開き、同時にどこにも通じない階段や開かずの間のある屋敷を建設したという。この伝説の裏にある真実は、そのようなうわさから想像されるような大仰なものではない。しかし、悲劇的なものであることに変わりはない。

ウィンチェスター・ライフル

本章の主役は悲劇の寡婦サラ・ウィンチェスターだが、彼女の苦難と被害妄想を理解するには、ウィンチェスターの呪いへとつながる死と苦痛に満ちた過去を理解しなければならない。そこに立ち現れるのは、未開の西部の象徴――トレードマークとなる帽子をかぶり、もちろんウィンチェスター・ライフルを手にしたカウボーイである。バッファロー・ビル・コーディやアニー・オークレイといった伝説的なカウボーイたちがこれ見よがしにライフルを振り回す姿は、当時の写真でも目にすることができる。実際、悪名高い無法者ビリー・ザ・キッドを撮影したものとして唯一知られる写真では、彼は一八七三年製のウィンチェスター・ライフルを誇らしげに手にしてポーズをとっている。アメリカ西部を象徴するこの武器は、ハリウッドの西部劇映画でもおなじみのものとなり、ジョン・ウェインは『駅馬車』や『勇気ある追跡』といった代表作でウィンチェスター・ライフルを使っている。もちろん、ウィンチェスター・ライフルは映画の小道具として使用されただけではない。この武器が歴史的に重要な意味を持つものとして社会で今なお語られるのにはそれなりの理由がある。当時としては最大の殺傷能力を持つ武器だったのだ。これ以上ないというタイミングで登場して歴史を変えたウィンチェスター・ライフルは、「西部を制圧した銃」と呼ばれた。

植民者たちが西部へと領土を拡大していく中で、アメリカ中に次々と新たな都市が築かれ、東西を結ぶ鉄道が建設されて、歴史的に重要な一歩をしるした。一八五〇年代にアメリカを横断することは危険と隣り合わせだった。開拓者たちは居心地のよい故郷をあとにして見知らぬ荒廃した地域で新たな生活を始めたが、自動車もなく中西部以西は植民が完了していない時代で、危険きわまりなかったのだ。土地の条件や気候が厳しかったのはもちろん、アメリカ先住民との戦いもあった。当然のことながら、自分たちの領土に勝手に入りこんでその土地をわがものとする人々を先住民が快く迎えるはずもなかった。開拓者とその家族が幌(ほろ)馬車隊で手にできる防御手段は、単発式ライフルしかなかった。マスケット銃よりは進化した武器だったが、性能が格段によくなったわけではない。熟練の使い手でも、発射して再び弾丸を込めるには一〇秒近くかかり、その間無防備な姿をさらすしかなかった。ウィンチェスター・ライフルが発明されなければ、そもそも西部征服は成し遂げられなかったとも言われている。

武器に革命を起こし、兵器と永遠に結びつけられる形で歴史に名を残した男は、しかし、銃器商になるとは想像もできないような環境で育った。オリヴァー・フィッシャー・ウィンチェスターは、一八一〇年一一月三〇日、サミュエル・ウィンチェスターとハンナ・ウィンチェスターの子として生を享(う)けた。子供時代には農場で働き、農作業のない冬の間だけ学校に通った。大工仕事からキャリアを始め、一〇代は大工見習いとして働いたが、やがてボルチモアに出てさまざまな建築物の建造を監督する職につくことになる。事業を始めるには厳しい時代だったが、一八三七年には男性衣料品店を開業するという大胆な行動に打って出て、男性用シャツの製造業者としてまずまずの成功を収めた。一八四七年にはボルチモアの店を売却してコネティカット州のニューヘイヴンに移住、残りの生涯をこの地で過ごすことになった。ウィンチェスターは、衣服を磨耗してしまう襟の引きつりを補正する「カーヴドシーム」を発明してシャツ製造法を改善し、一八四八年二月一日に特許番号五四二二を認可された。

ウィンチェスターはすぐにも事業に乗り出したいと思ったが、それを軌道に乗せるにはパートナーが必要だった。そこで、ジョン・W・デイヴィーズと提携してウィンチェスター＆デイヴィーズ工場を設立した。この工場は、特許を得たカーヴドシームを使って長年にわたり質の高い男性用シャツを製造することになる。事業の成功によってウィンチェスターは巨万の富を築き、会社は一八五五年には一年あたり六〇万ドル以上の純収益を上げるまでに成長した。ウィンチェスターはこの富をさらに拡大できる投資先を求め、当時の新興産業に狙いを定めた。

一八四九年八月二一日、数多くの発明を行ってきたウォルター・ハントがまた新たな特許を獲得した——連発銃の特許である。ハントは、万年筆やミシン、安全ピンなど、現代の私たちが当然のものと考えている多くのものの特許を取得した人物である。特許番号六六六三が「ピストン銃尾と連発式撃鉄を組み合わせた銃」で、特許番号五七〇一が「ロケットボール」だった。ハントの開発した革新的な連発銃は、最強と呼ばれることになる銃の先駆けとしての役割は果たしたものの、実際に大成功を収めることはできなかった。実はこの銃にはいくつか重大な欠点があり、そのため大量生産されることはなかったのだ。その後、ルイス・ジェニングスがハントのアイディアに改良をほどこし、ロビンス・アンド・ローレンス社がそれを製品化したものの、ジェニングスが考案した銃は握りにくいうえに発射しにくく、撃ち出される銃弾も威力が弱かった。その結果、わずか一〇〇〇丁が生産されただけで市場から撤退するという失敗に終わった。その後、ロビンス・アンド・ローレンス社の二人の鉄砲工、ホーレス・スミスとダニエル・ウェッソンがジェニングスのデザインにさらに改良を加えることになる。

スミスとウェッソンは、一八五四年二月一四日、独自の連発銃の特許取得にこぎつけた。二人が開発した連発銃は、それまでのジェニングスのモデルから長足の進歩を遂げていた。ここにはじめてレバーアクションの銃が誕生し、高速で連射することが可能になったのだ。カウボーイがウィンチェスター・ライフルを高速連射する姿は、のちにハリウッドやテレビ番組でおなじみのものになっていく。一九五八年に放送されたテレビ西部劇の名作『ライフルマン』の冒頭の場面などその最たるものだ。スミスとウェッソンが開発したライフルは、銃身の下にうまい具合に備えつけられた弾倉に最大で三〇もの銃弾を詰めることができた。当時の広告には、一分以内に銃弾をすべて詰め込むことができ、しかもその銃弾は防水仕様だと謳われている。彼らの銃はまた、デザインも格段に洗練されたものに改良されていた。この銃の開発のためにスミス&ウェッソン社を立ち上げていた二人は、新作ライフルを「ヴォルカニック」と名づけ、一八五五年、それに合わせて社名もヴォルカニック・リピーティング・アームズ社に変更した。

銃と会社を手にしたスミスとウェッソンにさらに必要なのは、支援者——製品を次のレベルへと引き上げてくれる投資家だった。一八五五年に新興企業ヴォルカニック・リピーティング・アームズ社の大半の株を買い取ったのが、オリヴァー・ウィンチェスターである。今日もなお続く偉大なる成功の始まりだ。しかし、今でこそ銃器事業で伝説的な成功を収めた会社として知られているが、ヴォルカニック・リピーティング・アームズ社は当初世間になかなか受け入れられず、スミスとウェッソンにとっては前途多難なスタートとなった。弾薬の威力が弱くて長距離を飛ばすことができなかったり、殺傷能力が低かったりという欠点のため、売上が伸びなかったのである。投資家たちが一人また一人と手を引き始め、スミスとウェッソンも同社を離れて独立、一八五六年には残る投資家はウィンチェスター一人になった。ウィンチェスターは、会社の残りの株を四万ドルで買い取って新たなスタートを切ろうと決意し、ヴォルカニック・リピーティング・アームズ社の社長兼財政責任者として、この事業を新たな段階へと進めるのに必要な改善に取り組み始める。

ウィンチェスターが打った改善の第一手が、社名をニューヘイヴン・アームズ社に変えることだった。市場の一角に食い込んで銃器商に商品を手に取ってもらうためには、失敗を思い起こさせるかつての名を捨てて新たなスタートを切ることが必要だったのだ。ウィンチェスターは、何十人もの鉄砲工や機械工を抱える工場を個人的に監督したが、もともとは衣類製造業者、実業家であり、その点では鉄砲工や機械工の身から出世して銃器製造業者になった他の多くの人々とは異なっていた。したがって、ウィンチェスターには性能の高い武器を開発する手助けをしてくれる専門家が必要だった。そこに登場するのがベンジャミン・タイラー・ヘンリーだ。ヘンリーはもともと、ウィンチェスターが経営するシャツ工場の五〇〇台のミシンを整備するために雇われた才能ある機械工だったが、一〇代のころに曲がりなりにも身につけていた鉄砲工としての技能をかわれて、一八五七年、銃工場監督責任者に任命された。ヘンリーは足りない経験を情熱で補った。工場に住み込み、一日数時間しか眠らず、新たなライフルの設計にうまずたゆまず取り組んだと言われている。

この時期に、南北戦争の足音が近づいてきた。北部と南部が反目し合う中、ヘンリーが設計した新たな「ヘンリー・ライフル」が生産段階に入った。この銃が革命的だったのは、金属製の弾薬筒を採用したことだ。金属製の弾丸は今なお銃器の標準装備となっているが、当時は大きな変革であり、これによって保管や携帯が簡単な防水性の銃弾が開発されることになる。南北戦争は一八六一年に始まったが、ヘンリー・ライフルは一八六二年には一般に提供されていた。すぐれた武器への需要は高かったが、銃弾が特殊でこの銃だけにしか使用できないこともあって、連邦政府は大規模にヘンリー・ライフルを採用することをためらった。実戦でどれだけ効果を発揮するかにも疑問が残った。過去にも多くのモデルが期待外れに終わっており、新たな製品にすべてを賭けるには時期尚早だと考えられたのだ。

宣伝を利用することにも長けたウィンチェスターは、特製のヘンリー・ライフルをリンカーン大統領に送った。これは六丁目として製造されたヘンリー・ライフルで、金メッキがほどこされ、リンカーンのために精巧な刻印が押されていた。ヘンリー・ライフルは、陸軍長官のエドウィン・マクマスターズ・スタントンや海軍長官のギデオン・ウェルズにも送られた。実際、このとき以降、アメリカ合衆国の現職大統領にウィンチェスター・ライフルを贈呈するのがならわしになった。このようなはたらきかけにもかかわらず、ウィンチェスターはヘンリー・ライフルを北軍にわずか一七三一丁しか売ることができなかった。しかし、だからといって北軍の兵士がヘンリー・ライフルを利用しなかったというわけではない。北軍として購入された数は少なかったかもしれないが、多くの兵士が自腹で購入していたのだ。ヘンリー・ライフルの信頼性と連射の速さが口コミで北軍中の評判となり、月に一三ドル程度のわずかな収入しかもらえなかった兵士たちが、貴重なけなしの金をはたいて五〇ドルの銃を買ったのだ。銃弾も自腹で購入し、この銃をたずさえて無事帰郷しようとしたのである。ヘンリー・ライフルは一分間に一四発から一五発

ウィンチェスター・リピーティング・アームズ社を背にした労働者たち
（1897年ごろ、出典：アメリカ議会図書館）

発射することが可能で、北軍の兵士がこれをほしがるのも無理はなかった。対する南軍の兵士はと言えば、その多くがいまだに単発式のマスケット銃を使っていた。結局、南北戦争では六〇〇〇〇人から七〇〇〇〇人の兵士がヘンリー・ライフルを携帯していたと見積もられている。

こうして南北戦争において大活躍したウィンチェスターのヘンリー・ライフルだったが、ウィンチェスターの銃が真価を発揮するのはアメリカ人の西部開拓においてだ。ウィンチェスターは、社名を短期間へンリー・リピーティング・ライフル社に改称した後、一八六六年にはさらにウィンチェスター・リピーティング・アームズ社に変えた。その性能が実証されると、ヘンリー・ライフルの売上は伸び、一万三〇〇〇丁に達した。ただ、この偉大な銃にもいくつか欠点があり、ウィンチェスターはさらなる改良を重ねたいと思っていた。連射を続けると銃身が熱くなり、やけどするおそれがあるというのもその一つだ。また、弾倉が露出しているため、ほこりによるつまりが原因で、大きな攻撃目標や長距離射撃には十分な威力を発揮しなかった。そこで新たに工場で働くことになったのが、ネルソン・キングである。キングは、一八六六年、これらの欠点を改良した初代ウィンチェスター・ライフル「M1866」を開発した。M1866は一七万丁以上売れ、会社の業績は飛躍的に上がった。その真鍮製レシーバーの色からアメリカ先住民によって「イエローボーイ」と名づけられたこの銃は、一八七六年のリトルビッグホーンの戦い（「カスター将軍の最後の戦い」とも呼ばれる）で名声を高めることになる。この戦いでアメリカ軍は、ラコタ族、アラパホ族、シャイアン族の連合軍による銃撃戦に敗れ、大打撃をこうむった。南北戦争で教訓を得たにもかかわらず、アメリカ軍の第七騎兵隊の装備は旧態依然とした単発式の銃だった。これに対し、アメリカ先住民軍はウィンチェスターの連発式ライフルで武装していた。戦いの結果を一言で述べれば、第七騎兵隊がアメリカ先住民軍に惨敗したということになる。あまりの惨敗のため、歴史書が何冊も書かれているほどだ。

一八七三年、ウィンチェスターはさらに強力なライフルを発売した。このM1873は、フレームが真鍮製から鉄製に変化し、側板が取り外し可能になっていたため、完全に分解しなくてもメンテナンスしやすかった。銃弾もさらに威力を増し、革新的なセンターファイア式の実包を採用、黒色火薬も三〇パーセント以上増量した結果、強力な弾薬によって一八〇メートル先の水牛でも撃ち殺せるほどだった。M１８７３は保安官や警官に愛用された。従来はM１８６６を使用していた警官隊のテキサス・レンジャーもこの新たな銃にアップグレードし、二〇世紀に入っても使用していたほどだ。狩猟が大好きだったセオドア・ルーズヴェルト大統領も、回想録でM１８７３をお気に入りの銃の一つに挙げている。

西部開拓がはるか昔の話になってもウィンチェスター・ライフルは生産され続け、カウボーイや牧場主、無法者、保安官や警官の武器として象徴的な地位を確立することになった。事業は大成功を収めたものの、ウィンチェスター家は不幸の星のもとにあるようだった。オリヴァー・ウィンチェスターは、一八八〇年一二月一一日、七〇歳で亡くなった。会社の経営は息子のウィリアムが引き継いだが、彼もまた数カ月後に結核でこの世を去った。こうして一人残されたのが、悲嘆にくれるウィリアムの妻のサラだった。サラはウィンチェスター家の名に暗い影を落とすことになる——そしてその伝説は今日なお人々の記憶に生き続けているのだ。

サラ・ウィンチェスターの若年期

サラ・ロックウッド・パーディーが正確にいつ生まれたかは、彼女が遺した屋敷と同じく謎に包まれている。わかっているのは、一八四〇年ごろ、コネティカット州ニューヘイヴンに、レオナルド・パーディーとサラ・パーデーを両親として生まれた、ということである。二〇代前半にオリヴァー・ウィンチェスターの息子ウィリアム・ウィンチェスターと出会うまでのことはほとんど何もわかっていない。それ以後の人生は人々の興味を引くものとなり、はるかに詳しい記録が残っている。ウィリアムとサラは一八六二年九月三〇日に結婚した。

新婚夫婦は、動乱の南北戦争時代（一八六一年〜一八六五年）、ニューヘイヴンのプロスペクト通り、ウィンチェスター社の工場のすぐ近くの大きな石造りの家に引っ越した。邸宅の裏のバルコニーからは、武器を製造している工場が見渡せた。戦時ということもあり、ウィリアムはウィンチェスター・リピーティング・アームズでの仕事に忙殺された。新婚の夫ともっといっしょに過ごしたいと思っていたサラは、戦争が終わるのを待ち焦がれた。一八六六年六月一五日、待望の第一子が誕生し、女の子はアニー・パーディー・ウィンチェスターと名づけられた。しかし、アニーは同年七月二四日にその短い人生を終える。二人の間にその後子供は生まれなかった。

まるでサラの気持ちを代弁するかのように、アニーが埋葬される日には雷雨をともなう激しい

ウィンチェスター屋敷（1980年ごろ、HABS［アメリカ歴史的建造物調査］により撮影、出典：アメリカ議会図書館）

嵐が襲ったという。アニーの墓には単に「ベイビー・アニー」と刻まれ、彼女は今なおエヴァーグリーン墓地で両親の隣に眠っている。アニーの死因は「消耗症」として知られる疾患だった。消耗症は、現代医学ではクワシオルコルというたんぱく質欠乏による栄養失調が原因だとわかっているが、当時は治療不可とみなされていた。

一五年後にウィンチェスター家を再び不幸が襲う。体調不良が続いていたウィリアムの死だ。彼は寝食を忘れて仕事に励んでいたため、サラは当然、過労やストレスが健康に影響を与えているだけだと思っていた。しかし、事態は思った以上に深刻だった。ウィリアムは年を追うごとに衰弱して症状が重くなり、一八八一年三月七日に息を引き取った。彼の葬儀の日にもまた雷雨が襲ったと言われている。

サラは、ウィンチェスター社の工場を見下ろす陰鬱な大邸宅に一人取り残されることになった。夫が生涯の大半を過ごしたその工場こそ夫の命を奪う原因だったのだと思うようになっても不思議はないだろう。まるで灯台のように不気味な姿をさらす工場では、死をもたらす武器が毎日製造されていた。サラ・ウィンチェスターは夫の遺産のたった一人の相続者であり、誰もが夢見るほどの富を手に入れたが、次々襲う家族の死に恐怖を抱き、遺産を喜ぶ気持ちにはとてもなれなかった。

一説によれば、死にとりつかれ、亡き夫と心を通わせたいと切に願ったサラは、アダム・クーンズというボストン出身の霊媒師と親しくなったという。オカルトに興味を持ち、クーンズを介せば死者と連絡がとれると信じていたとも言われている。一八八四年、サラは以下の言葉が刻まれた壺をウィリアムとアニーの墓の上に供えた。「心は塵である。心の愛は死ぬことがない。遺した者の心の中に生きることは、死ぬことではない」

伝説によれば、サラはクーンズを介して死後のウィリアムと自由に連絡をとることができたという。サラは愛の言葉が聞けるものと思っていたが、残念ながら、苦しみに満ちた夫の霊から返ってくるのは陰鬱で暗いメッセージばかりだった。ウィリアムの霊は、サラはウィンチェスター・ライフルによって殺された者たちの霊に永遠に苦しめられるだろう、と語った。死者の霊たちは、ウィンチェスター家に安住の地を提供するよう求めていたのだ。そこで、ウィリアムはサラに家を建てるように命じた。霊がやすらかに眠るための部屋が無限に増築され、決して完成されることのない家だ。サラはこのお告げに従えば不死身になれると信じていたという。サラ・ウィンチェスターが「おかしな」ミステリー・ハウスを建てたのは、以上のような出来事が原因だとまことしやかに語られてきた。だが、実際のところはどうなのだろうか。驚くなかれ、ほとんどがいつわりである。

私は、サラ・ウィンチェスターの伝記を執筆したメアリー・ジョー・イニョフォに、サラの人生の真実について個人的に問い合わせたが、メアリー・ジョーが語ってくれたのは今述べたような話とはまったく異なるものだった。彼女は『Captive of the Labyrinth: Sarah L. Winchester, Heiress to the Rifle Fortune（迷路にとらわれて――サラ・L・ウィンチェスター、ライフルの富の相続者）』の取材に五年を費やし、膨大な一次資料にあたった。サラが弁護士と取り交わした手紙や、牧場の管理人ジョン・ハンセンの日記、サンタクララ郡やサンマテオ郡の不動産権利書などである。サラをめぐる伝説の核心とも言うべきアダム・クーンズについてメアリー・ジョーに尋ねると、なんと、調査の中でそのような名前の霊媒師の記録には一度も行き当たらなかったという答えが返ってきた。大きな富を相続した寡婦に金目当てでスピリチュアルな話をもちかける人物がたくさん寄ってくるというのは、あってもおかしくない話だが、私自身、アダム・クーンズという名の霊媒師が実在したという記録を見つけることはできなかった。

サラはやがてカリフォルニア州サンノゼのサンタクララ・バレーに赴き、そこで四四エーカーの土地と、建設中だった八部屋の農場家屋を買い取った。大邸宅を建てるため、家財道具を何台もの馬車に載せて昼夜関係なく運び込むサラの姿を、町の人々は畏怖の念を抱きながら見つめていたという。サラは建築家や大工以外と口を利くことはほとんどなく、たいてい黒い喪服とヴェール（当時の喪に服する人の伝統的な衣装だった）に身を包んでいた。

サラ・ウィンチェスターの「ミステリー・ハウス」は、最終的に一六〇もの部屋を備えることになるが、現在では、そのうち一一〇室をツアーで見学することができる。イーストレーク様式の屋根板を備えたヴィクトリア朝クイーン・アン様式の建物で、サラはこの屋敷の建造に最終的に五〇〇〇万ドル以上つぎこむことになった。しかも、一九二二年九月五日にサラが亡くなったあとも増築は続けられたのである。

大工や石工は何年もの間、昼も夜も働き続けた。ある程度建造が進んだ時点で、サラは建築家を解雇した。設計をすべて自分の手で行いたくなったのだ。典型的なヴィクトリア様式の屋敷の外観は町の風景にも溶け込んでいたが、予想外に拡大されて地元の人々を驚かせた。彼らはサラがこの屋敷を建てるに至った事情をまったく知らなかったので、外から見えたものだけで判断するしかなかった。屋敷の前をたまたま通りかかった人々は、いまだ喪に服するウィンチェスター夫人が広大な地所で人目を忍ぶように動き回っている姿をしばしば目撃したが、彼女は屋敷外の人間に気づいた様子を示したり、話しかけたりすることは一度もなかったという。地元の人々とほとんど交流せずに孤立した生活を営むサラは、謎に包まれた人物だった。

メアリー・ジョー・イニョフォはまた、サラが地元のサンノゼの人々からどう見られていたかについても教えてくれた。「当時、サラ・ウィンチェスターは、派手な大豪邸を建てている人、隣人と『うまくやっていこう』（新聞からの引用）としない人間と考えられていました。ごく親しくしている隣人が数人だけいて、時にはサラの頼まれ事を聞くこともあったようです」

深く喪に服し、孤立していたサラだったが、二〇〇〇万ドルほどに相当する遺産は存分に活用した。遺産とは別に、ウィンチェスター・リピーティング・アームズ社から毎日一〇〇〇ドル近くの利益が上がってきた。サラにとっては金がいくらかかろうが問題ではなく、それは何度も改修を重ねたミステリー・ハウスによく表れている。

興味津々の地元人に、屋敷の元雇い人たちが家の中で見たことについてうわさを広めた。屋敷の内部はまさに迷路だった。サラは、家で働くスタッフに知られることなく、多くの部屋をつなぐ通路を使って定期的に家中を歩き回った。どこにも通じずに行き止まりになる通路もあった。家のレイアウトがあまりにも不気味なので、新しく入った召使はなじみのある通路以外は使わなかったという。七階まで続く大階段は一階分が約二・七メートルで、高さわずか五センチほどの段が四〇もついていた。この奇妙な構造は、サラがひどい関節炎を患っていたための配慮だったと考えられている。

二〇世紀に入るころには、屋敷は離れの建物や小屋も呑み込み、もともとあった八つの部屋の原形はなくなった。サラは、好奇心から家や彼女を覗きにくる人々の目を避けるため、高い柵を建造しなければならなかった。さらに、背の高い糸杉で生垣を造り、庭師を雇ってその生垣が厚い緑の壁になるよう手入れさせた。サラや召使に面会したいという要望は拒否された。

一九〇四年、サラは完全に引きこもり、そのため召使や雇い人の相手をすることもできなくなった。そこで、サラの姪のマーガレット・メリアムが連絡役を務めるために引っ越してきた。サラはヴェールと喪服に身を包んだ姿以外を誰にも見せようとせず、サラと直接コミュニケーションをとることは誰にも許されなかった。ただ執事だけは、サラに食事を持っていく務めを果たしていたため、喪服姿以外のサラの姿を見ることができた。

七階建ての屋敷は評判を呼び、何キロメートルも離れたところから人々がやってくる観光名所のような場所になった。サラは一三という数字に強迫観念を持っていた。「ウィンチェスター・ミステリー・ハウス」と題する記事には、サラのこの強迫観念が詳述されている。「彼女の遺書は一三項目からなり、一三の署名が記されている。屋敷には浴室が一三あり、一三の浴室には一三の窓があり、浴室に通じる一三の階段がある。多くの窓には窓枠が一三あり、部屋の天井は一三のパネルからできている」。屋敷は二〇〇〇平方メートル以上のスペースを誇り、ドアが二〇〇〇、天窓が五二、寝室が四〇、エレベーターが三台、地下室が二部屋、台所が六つ、浴室が一三、階段が四〇、暖炉が四七、窓が一万もあった。

召使は頻繁に入れ替わったと言われている。屋敷の不気味さに耐えられず自ら離れる者もいれば、詮索したり命令に従わなかったりしたために解雇される者もいたようだ。最終的に長くサラのもとにとどまってくれるスタッフが定着し、外部の悪意ある詮索好きな目からサラを守った。時が過ぎるにつれ、サラとその屋敷をめぐる秘密の壁はさらに厚くなっていった。

ウィンチェスター夫人は秘密の降霊会部屋を定期的に使ったが、詮索好きの目を警戒する彼女は、部屋に行くのに毎回別の通路を使ったり秘密の廊下を通ったりした。降霊会が行われるのは小さな青い部屋で、窓には鉄格子がはめられ、正式な出入り口は一つしかなかった。秘密の出口も存在したが、クローゼットの中に注意深く隠されていた。サラは、亡き夫の霊と交流すべく、この部屋で何時間も過ごしたと言われている。降霊会中にサラが夫の霊に話しかける声が、部屋の外にいる雇い人たちの耳にも届いたという。この超自然的なイベントをめぐっては、元雇い人や地元のゴシップとして多くの伝説が伝わっている。部屋から赤ん坊の泣き声が聞こえたという者もいれば、ひそかに部屋に潜んでみたという者もいた。この召使の話によれば、この世のもの

サラ・ウィンチェスターの寝室
（1980年ごろ、HABSにより撮影、出典：アメリカ議会図書館）

とは思えない謎めいた手がどこからともなく現れ、サラはその手が持つ盃（さかずき）を奇妙な儀式めいたそぶりで飲み干したという。しかし、こういった話は根拠のないゴシップや都市伝説の域を出ない。

別の伝説によれば、サラはある日突然、その日の夜に豪勢なパーティーを開くと召使に告げた。屋敷内には、豪華なティファニーのシャンデリアがついた舞踏場が完成したばかりで、その部屋で食事と高価な飲み物を用意した舞踏会パーティーを開くというのだ。その夜、曲を演奏してパーティー参加者を楽しませるためにミュージシャンたちが雇われ、美しく飾られたビュッフェ・テーブルには豪華な料理が並べられた。派手な

ウィンチェスター屋敷の居間の暖炉
(1980年ごろ、HABSにより撮影、出典:アメリカ議会図書館)

演出で舞踏会が始まり、会場に到着したパーティー客の名を読み上げる執事の声が響いた。バンドの演奏者たちは、名前の読み上げを聞きながら、舞踏会の進行を困惑と驚きの気持ちで見守っていた――パーティー客などいなかったからだ。あまりに不気味なパーティーにおそれをなしたミュージシャンたちは、午前二時に会場から逃げ出したという。

一九〇六年四月一八日早朝、巨大なサンアンドレアス断層が轟音を立て始め、続いて起こったサンフランシスコ大地震はサラの屋敷に大損害を与えた。サラは自室に一人で閉じこめられたが、助けを求める彼女の声は壁に遮られ、しばらく召使の耳に届かなかった。数時間後、サラはようやく寝室で発見されたが、美しく飾られていたはずの部屋はめちゃくちゃになっていた。地震のダメージを最も激しく受けたのは、金をかけて豪華に飾り立てていた建物の正面部だった。サラはこの天災を「あの世」からの警告と解釈し、自分の贅沢な暮らしが罰せられたのだと考えた。損害を受けた正面部を板で塞ぐよう指示し、以降そこには誰も立ち入ることを禁じられた。地震に大きなショックを受けたサラは屋敷から立ち去り、サンフランシスコ湾に停泊していた屋形船や牧場、アザートンの家など、さまざまな場所を転々とすることになる。サラの漂流生活は六年続いた。屋敷の建築現場監督には毎日指示を出し、増築作業も続けられたものの、この間サラ自身が帰宅することは一度もなかった。

一九一二年の春、サラはついに帰宅し、以後驚異的なペースで屋敷の改修を進めた。関節炎で満足に動けなくなり、健康状態も衰え始めたため、家を出ることはほとんどなくなった。それから一〇年後の一九二二年九月四日の夜、建築作業者たちは、ウイスキーを手にリラックスしてカードゲームに興じ、一日の疲れを癒やしていた。彼らはウィンチェスター夫人の姿を数カ月間目にしておらず、まだこの地所にいるのか、他の家に移っているのかも知らなかった。翌朝、姪のマーガレットがおばの部屋に行ってみると、サラ・ウィンチェスターはすでに息を引き取っていた。睡眠中に苦難の人生を終えていたのである。

サンノゼのある新聞の追悼記事は、ウィンチェスター夫人の人生を以下のように振り返っている。「彼女はこの地で約三〇年間、静かな孤立した生活を送ってきた。長年にわたってコネティカット州の結核患者の治療を専門とする病院を財政支援するなど、さまざまな慈善活動を行ってきた」。こうしてサラ・ウィンチェスターの魂は安らかに眠ることになったが、その伝説はまだ始まったばかりだった。

ウィンチェスターの遺産

ヴィクトリア朝クイーン・アン様式の屋敷は美しく復元され、ウィンチェスター通り525番地に今なお立っている。六エーカーの地所は観光名所となり、屋敷の中に入って大舞踏場や秘密の降霊会部屋などを見て回ることもできる。「裏舞台探索ツアー」なるものまで存在し、そのツアーに参加すれば、殺された人々の霊が安住できる地を提供するために屋敷に何百万ドルも費やした謎の寡婦についてツアーガイドが詳しく語ってくれることだろう。

ハロウィーン・シーズンには、ウィンチェスター・ミステリー・ハウス伝説の超自然的な面に焦点を当てた「ハロウィーン・キャンドルライト・ツアー」なるものまで組まれている。このツアーのプレスリリースでは、真に心霊体験ができるツアーであることが喧伝されている。

当所は『タイム』誌で「世界で最も幽霊が出やすい場所」の一つと呼ばれ、今年のハロウィーンでは、期間限定のハロウィーン・キャンドルナイト・ツアーを開催し、不気味な雰囲気をさらに盛り上げる演出を行って真にぞっとする経験を提供します。

サンフランシスコで「グレイト・ディケンズ・クリスマス・フェア」を開催して成功させたディレクターのピーター・オーヴァーストリートは、こう述べている。

キャンドルライトが灯っているとき、屋敷で超常的な力が呼び覚まされ、ツアー客を驚かせることはまちがいない……ウィンチェスター・ミステリー・ハウスを訪れた客は、肉体的にも精神的にも新たな経験を得るだろう――あなたの想像力が空白を満たしてよりいっそうおそろしい効果をかもしだし、「心の劇場」が現出するだろう。

夫が亡くなってある程度の時間が経ったあと、サラが引きこもる生活を送ったのは激しい関節炎によるところが大きかったのではないかと一般に考えられている。実際、彼女は知的で気前のよい女性であり、四カ国語に通じ、芸術を愛し、庭で栽培した食物を貧しい家族に送ったりもしていた。召使として働いた人々の話によれば、多くの慈善団体に寄付していたともいう。謎めいた寡婦という話から大仰なことを想像しがちだが、知られている事実は少ない。伝説やうわさ話に包まれているために、実際よりもはるかに謎めいて奇妙な人生を送ったかのように思われてしまっているだけなのだ。メアリー・ジョー・イニョフォはサラ・ウィンチェスターについてこう語ってくれた。

自分ではフェミニストや時代をリードする人間などとは思っていなかったでしょうが、男女を問わず、同時代の人よりはるかに才能のある投資家で、土地や株などに投資しました。建築家として才能を発揮したいと思っていましたが、地震による倒壊を経験して、その方面では才能がないのだと考えました。相続して得た富には価値がないと思い、自分で資産を増やそうとしました。歴史的な人物として、きわめて興味深く、身近に感じられる人間だと思います。人生で多くの苦難に直面しましたが、それに対してとてもクリエイティブで効果的な対処法を見つけたのです。私としては、長年にわたって彼女が毎日建設計画を進めたのは、強迫観念とか幽霊とかいう非現実的な理由からではなく、クリエイティブな気晴らしのためだったと考えるほうがおもしろいのです。サラは、余暇をもてあますよりも、働く人生のほうが良いと思ったのではないでしょうか。最期まで働いて人生を終えたのですから。

オカルトにとりつかれていたという通説についても、メアリー・ジョーは同意しかねるという。

「サラ・ウィンチェスターがそういった考えにとりつかれていたという歴史的証拠を見つけることはできませんでした。定期的に降霊会を開いていた地元の人々に加わることもできたはずですが、そんなことはしていません。彼女は米国聖公会の信者でした」

屋敷でサラの個人的な遺品が整理されたとき、夫の遺品と、幼くして亡くなった娘の一房の毛髪が入った箱が発見された。サラは、迷信深い引きこもりの奇人ではなく、人生で愛したあらゆるものを悲劇的に奪われた、献身的な妻であり母であったと記憶されるべきではないだろうか。サラ・ウィンチェスターが遺贈された莫大な財産は、彼女に慰めや楽しみをもたらすことはなく、悲しみを募らせるばかりだった。凝りに凝ったミステリー・ハウスは、サラにとって、愛する人々の思い出を記念する最善の方法にすぎなかったのかもしれない。

現在のウィンチェスター・ミステリー・ハウス

ウィンチェスター屋敷には一六〇の部屋がある……はずだった。しかし、本書執筆中、管理者によって秘密の屋根裏部屋が発見された。屋敷の保存責任者たちは、その部屋からいくつかの遺品を回収することができた。ヴィクトリア朝様式のソファや、ミシン、ハーモニウム、絵画、衣服の仮縫いに用いる人台などである。この屋根裏部屋は一九〇六年の大地震のあとに板張りで封鎖され、発見されるまで人に知られることのない状態にあったのだ。ウィンチェスター・ミステリー・ハウスは、サンノゼ、そしてカリフォルニア州の観光名所であり続け、アメリカ合衆国国家歴史登録財にも指定されている。

9章 ベークライト 殺しのプラスチック

ベークライトは、プラスチック開発初期に最も人気があったブランドで、市場に出回ったのは比較的短い期間にすぎなかったが、狂騒の一九二〇年代というきらびやかな時代に利用されたこともあり、いまだにコレクター・アイテムとなっている。そして、この製品を開発した家族に起きた大事件は、今なお人々の記憶に残り、現代のブランド史の最もスキャンダラスなドラマの一つとして世の関心を引き続けている。

プラスチック小史

プラスチックは一九世紀に生まれた最も革新的で重要な発明の一つである。じょうぶで壊れにくいにもかかわらず、やわらかくて可塑性があり、透明にも不透明にも加工できる。プラスチックは大量生産が始まってまだ一世紀ほどしか経っていない、きわめて現代的な素材だ。プラスチック開発以前には、貝殻や角などの類似した角質物質が素材として利用されていた。一七二五年にはロンドンがヨーロッパの角質物質加工の中心地となっていたが、一九世紀には、象牙や亀の甲羅などは広く利用できなくなっていた。これらの材料のもととなる動物の密猟によって不足し始めたのである。代替となる人工的な素材が切に求められ、そこに登場したのがプラスチックだった。

プラスチックがはじめて一般の人々の目に触れたのは、一八六二年のロンドン万国博覧会においてのことだった。イギリスの化学者アレクサンダー・パークスが、自らが開発した「パーケシン」を展示したのだ。パーケシンは象牙や角に似た見た目をしており、それらの代替品として使用できそうだったが、世に広まることはなかった。パーケシンがなぜ失敗したかには諸説あり、生産にコストがかかりすぎて商品化できなかったという説もあれば、パークスが使用した原料が低品質だったため、質の劣った製品しか作れず、消費者にそっぽを向かれたという説もある。理由はどうあれ、パーケシンは商業的な成功を収めることができなかった。しかし、すぐに革新的なプラスチックが登場することになる。

発明家のジョン・ウェズリー・ハイアット・ジュニアと兄のアイザイアは、若いころに活気あふれるシカゴに引っ越してきた。ジョンは、印刷業者の見習いとして働くかたわら、若いうちからさまざまな発明を行った。一方、兄のアイザイアは新聞の編集者だった。ハイアット兄弟は、一八六一年二月一九日、特許番号三一四六一「改良型ナイフ研ぎ器」ではじめて特許を取得した。兄弟は良好な協力関係を築いていたようで、それは二人の最も重要な発明に結実することになる。兄弟は、翌一八六二年六月一七日には「ナイフ、ハサミ研ぎ器の改良」の特許を取得した（特許番号三五六五二）。

一八六三年、アメリカ合衆国最大のビリヤード製品会社フェラン&コレンダー社は、長年にわたってスタンダードとなっていた象牙製のビリヤードに代わる新たな合成素材を求めてコンテストを実施した。乱獲によって象牙が不足し始めていたのである。フェラン&コレンダー社に新たな合成素材を提供することができれば、一万ドルもの巨額の賞金がもらえることになっていた。ジョン・ウェズリー・ハイアット・ジュニアはこのコンテストに参加し、みごとな成果を上げることになる。ハイアットは印刷所で働き続けるかたわら、夜間の暇な時間にこの新たな発明に注力した。

一八六五年、ハイアットは、木質繊維を核とし、その周囲を象牙の粉末とセラックで覆った合成物を開発することに成功した。ハイアットがコンテストで優勝したか、あるいはフェラン&コレンダー社から賞金を得たかについては不明である。いずれにせよ、一八六五年一〇月一〇日、ハイアットは「ビリヤードの球」の新たな製造法によって特許を取得した（特許番号五〇三五九）。これは、兄弟としてではなく、彼単独として得たはじめての特許である。ハイアットはやがて友人のピーター・キニアーとともにハイアット・ビリヤード・ボール社を創業した。新たなビリヤードの球は、硬さなど多くの点で象牙ほどすぐれた品質を備えていなかったため、実験を続けて改良する必要があった。ハイアットは生活のために依然として印刷工としても働いていたが、それが幸運をもたらした。印刷所で働いていたある運命の日、偶然歴史を変える発見に導かれることになったのだ。

ハイアットの想像力に火がつくきっかけは、瓶に入ったコロジオンをこぼしたことだった。コロジオンは粘着性の溶液で、写真印刷のコーティング剤として用いられるとともに、印刷工が作業中に指先につける「ニュースキン」と呼ばれる保護剤としても活用されていた。ハイアットはおそらく、手がべとべとになってしまうと思ってうんざりしながらこぼれた液を拭き取ろうとしたことだろう。しかし意外にもそこには、象牙に似た厚さと硬度を持つ乾いた物質が現れたのだ。コロジオンはもともと、主としてアルコールとニトロセルロースを混ぜ合わせて作られたもので、これこそハイアットが探し求めていた物質だった。あとは、商品として通用するものにするために開発を重ねるだけだった。ハイアットは液体、固体両方のコロジオンを用いて実験に励んだ。

そして数年後、ハイアットは、コロジオンを樟脳（しょうのう）と組み合わせてそれを熱するという方法にたどりつき、ついに半合成熱可塑性物質を発見した。利益を得ることにも長けたハイアット兄弟は、すぐに特許申請を行い、一八六九年六月一五日、特許番号九一三四一「固体コロジオンの改良製造法」の認可が下りた。特許の説明にはこう記されている。

私たちの発明は、固体コロジオンとその化合物の新たな改良製造法に関するものである。製造法を簡単に述べれば、ごく少量のエーテルまたは他の適当な溶液を使用し、それを高圧力下でピロキシリンと溶解させると、溶剤をそれほど使わず、時間も短縮して、比較的硬い固体の生産物が出来上がる。

ハイアット兄弟は、化学者から、この化合物はきわめて可燃性が強いので熱しすぎないほうがよいと言われた。さらに、義歯床や義歯に加工する市場があるのではないかともアドバイスされた。それまで義歯の素材としてはゴムが用いられていたが、ゴムの値段が急速に上がっていたのだ。兄弟が開発した固体コロジオンは透明で、そのため染料や色素を添加しやすく、必要に応じてさまざまな色に加工することができた。彼らは必要な改良をほどこして、一八七〇年七月一二日、特許番号一〇五三三八「ピロキシリンの加工と成形における改良」が認可された。ハイアット兄弟のプラスチックのこの最終ヴァージョンは、アイザイアによって「セルロイド」と名づけられた。兄弟はアルバニー・デンタル・プレート社を設立し、ここにセルロイド製の義歯床が誕生した。

一八七〇年代、ハイアット兄弟はセルロイドをさまざまな用途に利用した。製造技術にも改良を重ね、透明なプラスチックは、琥珀（こはく）や象牙からサンゴや黒玉（こくぎょく）に至る最高級の模造品の素材としても利用できることを発見した。こうしてセルロイドは、装飾品からピアノの鍵盤、カフス、眼鏡のフレームといったあらゆる製品に使われるようになった。セルロイドは革新的な素材だったが、いくつか明白な欠点もあった。実は、熱にとても弱く、分解しやすかったのだ。プラスチック製品に用いられる素材は、やがてセルロイドからベークライトと呼ばれる魅力的な新素材に取って代わられることになる。

レオ・ベークランドの若年期

新製品が市場に送り出されたのは、二〇世紀に入ってしばらく経ったころだ。開発者は、ベルギーに生まれアメリカで活躍した化学者、レオ・ヘンドリック・アーサー・ベークランドである。ベークランドは、一八六三年一一月一四日、ベルギーのヘントで、家政婦の母、靴修理工の父というつましい家庭に生まれた。好奇心旺盛で頭もよかったベークランドは、貧しい境遇から身を立て、ヘント市立技術学校を優秀な成績で卒業、一八八〇年には奨学金をもらってヘント大学に入学する。大学では化学を研究し、二一歳で博士号を取得した。一八八七年、水中で感光板を現像する方法を発明し、はじめて特許を得た。ヘント大学で化学の助教授として働いているときにセリーヌ・スウォーツという女性と出会い、一八八九年八月八日に結婚、夫婦はジェニー、ジョージ、ニーナの三人の子に恵まれた。

レオとセリーヌは新婚旅行でアメリカに赴いた。しかし、新婚旅行だからと言って遊び回っていたわけではない。二人はこの機会を利用していくつかの大学を訪ねたが、ニューヨーク市のコロンビア大学を訪れたことが、レオの運命、さらにプラスチック産業の運命を永遠に変えることになった。ここでレオは、写真会社E&H・T・アンソニーのリチャード・アンソニーと、チャールズ・F・チャンドラー教授の目に留まったのである。レオの経歴に感銘を受けたアンソニーは、自分の会社で働かないかと提案し、妻とともにアメリカに移住することを勧めた。新婚夫婦はこの機会を逃さなかった。ベークランドはE&H・T・アンソニー社で二年間働いたのち、化学コンサルタントとして独立した。しかしこの職では思うような利益が得られず、発明に注力することになる。ベークランドは多くの発明品を生み出し、生涯で一〇〇以上の特許を取得したが、この時期、彼の最も有名な発明品の一つ、印画紙「ベロックス」の開発にも成功した。少年時代に写真に興味を持っていたことが結実したのだ。

一九世紀末の不安定な経済状況では、発明をしたからといって個人がすぐにそれを売り出すというわけにはいかなかった。財政支援を必要としたベークランドは、一八九一年、レナード・ジエイコブと提携し、ニューヨーク州ヨンカーズのネペラ・パーク地域に本社を置くネペラ化学会社を設立した。彼らは一八九三年にはベロックスの生産を開始し、市場に影響をおよぼし始めた。その影響はイーストマン・コダック社にとっても無視できないものになり、一八九九年、ジョージ・イーストマンは、ネペラ化学会社およびベロックスの特許を買い取った。買収額については諸説あるが、七五万ドルから一〇〇万ドルの間だったようだ。ベークランド個人としても、この売上から二一万五〇〇〇ドル（現在の貨幣価値で約六〇〇〇万ドル）の利益を得たと言われている。ベロックスをイーストマン・コダック社に売った資金をもとに、ベークランドは彼の名を不朽のものにする発明を成し遂げることになる。ベークライトだ。

レオ・ベークランドの肖像写真（1906年ごろ、出典：アメリカ議会図書館）

ベークライトの発明と革新

私はまず、この上なく硬い素材の発明を思い立ちましたが、そのうち、逆に、どのようにも変形できるやわらかい素材を作るべきだと思い直しました。こうして最初のプラスチックを開発することになったのです。私はそれを「ベークライト」と名づけました。

レオ・ベークランド

ベークライト発明の道は平坦なものではなかった。合成素材の開発はベークランドにとってもはじめての試みだった。しかし、イーストマンとの契約に二〇年間の競業避止義務条項が含まれていたため、写真の分野で活動することはできず、新たな分野に手を出すほかなかったのだ。一九〇〇年、ベークランドは電気化学を勉強し直すためにドイツに赴いた。新たな合成プラスチックを作るつもりはなく、広く普及していたセラックに代わる、より便利な素材を見つけるのが本来の目的だった。セラックはラックカイガラムシの分泌物から得られる樹脂のような物質で、宝石や床材、義歯などの成形品に広く利用されていた。ベークランドはまずノボラックという合成樹脂の開発に成功したが、商業的にはいまひとつだった。とはいえ、この樹脂は今なおビリヤードの球から回路基板まで広く利用されている。当時あまりぱっとしなかったノボラックだが、こ

ニューヨーク州ヨンカーズのベークライトの研究所
（1935年ごろ、出典：ベークライト・レヴュー／アメリカ議会図書館）

れをきっかけにベークライト開発への道が開かれることになる。

セラックの代替品に満足できなかったベークランドは、可塑性を持ちながら硬さも備えたプラスチックの開発を目指し、フェノールをホルムアルデヒドと組み合わせる実験をさらに続けた。そしてついに、ポリオキシベンジルメチレングリコールアンハイドライド（ベークライトの正式化学名称）の正しい製造法に行き着いたのである。ベークライトは、樹脂に木材やアスベストを充塡剤として加えることで作り出された。このフェノール樹脂は、さまざまなデザインに成形することが可能で、セルロイドとは違って耐熱性にすぐれているという点でもすばらしい発明品だった。一九〇七年七月一三日、ベークランドは「フェノールとホルムアルデヒドの不溶性生成物の製造方法」の特許を申請した。彼はまた、カナダ、デンマーク、日本、メキシコ、ロシア、スペイン、ハンガリーなど世界各国における特許権保護も申請し、一九〇九年二月八日には、アメリカ化学学会で正式なプレゼンテーションを行った。そして一九〇九年一二月七日、ベークライトの特許（特許番号九四二六九九）が正式に認可された。ここにプラスチックの歴史が始まったのだ。実際、この素材に「プラスチック」の名を与えたのはベークランドだった。

一九一〇年、レオ・ベークランドは、奇跡のプラスチックを生産する自らの実験室から出て、高額の投資をしてもらって拡大路線を歩むべく、売上を伸ばすことに注力し始める。ゼネラル・ベークライト社を設立し、アメリカ国内はもちろん、国際的にもより大規模な製造・販売に着手した。ベークライト製品を最初に大規模に利用し始めたのは、当時勃興しつつあった自動車産業だった。ベークライトは耐熱性と電気絶縁性にきわめてすぐれていたため、自動車の絶縁材料として用いられたのである。やがて電話やラジオなどにも利用され、第一次世界大戦中には、他の合成素材とともにさらに多くの製品に使われた。戦時には、平時に使われる天然資源をのんびり利用している暇がなかったのだ。

ベークライトは「一〇〇〇の用途を持つ素材」として喧伝された。ベークライトの登場により、プラスチックははじめて、透明、黒、グレー、青、黄、緑、赤、茶とあらゆる色で利用することが可能になった。台所用品の取っ手や柄、ペン、ビリヤードの球、喫煙用パイプの軸、ボタン、宝石、ポーカーで使用するチップ、ランプなどあらゆる製品に使用され始めた。ビューマスターの原形となる玩具にもベークライトが使われていたほどだ。ベークライトは、アメリカ、イギリ

ベークライトのヴィンテージ雑誌広告
（出典：アメリカ議会図書館）

スの家庭のすみずみにまで行き渡っていた。製品に利用されるばかりか、芸術にも影響を与えた。本書でも取り上げたココ・シャネルも、一九二〇年代に宝石にベークライトを取り入れている。ベークライトは、一九二五年一〇月に出版された『プラスチックス・マガジン』の創刊号の表紙も飾った。

販促キャンペーンでは、ベークライトは「家庭安泰の友」とたたえられ、健康用品にも利用できることが宣伝された。補聴器や反射シート、歯科修復物に使われているという事実を強調し、ベークライトをもっと手広く利用するよう製造業者に訴えかけた。「あらゆる産業が、製品自体にベークライトを使ったり、ベークライト生産機械を製造したり、メンテナンスに用いたりして、さまざまなベークライト素材利用法によって利益を上げています」

ベークランドは市場を革新するような製品を生み出すことに成功したが、彼の特許は永遠に続くものではなかった——ベークライトの特許は一九二七年に切れた。これによって他の企業が市場になだれこみ、それぞれ独自のプラスチックを開発し始めた。その中で最も有名なのがアメリカン・カタリン・コーポレーションで、一五以上のあざやかな色のベークライト式プラスチックを世に出した。市場はベークライトに似た、あるいは本家のベークライト・ブランドと間違えられるような製品であふれ始めたが、この市場開放はベークランドの事業にダメージを与えることはなかった。それどころか、一九二九年、ベークランドの会社はシーメンス社からそれまでで最大の発注を受けることになる。フェノール樹脂成形粉が電話機ケースに使用されたのだ。

ベークランドは一九三九年に会社を売却して引退、その後はヨットでセーリングするなど悠々自適の人生を送った。しかし、その名声は輝きを失わず、一九四〇年五月二〇日発売の『タイ

ベークライトの宝石類の色見本（1924年ごろ、出典：エンベッド・アート社のトレジャー・ギフト・カタログ）

ム』誌では表紙を飾り、「プラスチックの父」としてたたえられた。レオ・ベークランドは、一九四四年二月二三日、八〇歳で亡くなった。一九七八年には全米発明家殿堂入りを果たした。

ベークランド家

レオ・ベークランドはすばらしい名声を一家に遺したが、その子孫は彼の名声に影を落とす結果になってしまった。レオは自らの力で富を築き上げたが、相続財産は往々にして子孫に幸運ではなく不運をもたらすというのが悲しい現実なのだ。レオが築いた富により、ベークランド家はその後数世代にわたって贅沢三昧の暮らしを満喫することができた。

レオとセリーヌには三人の子供がいたが、最初に生まれたジェニーはインフルエンザのため五歳で命を落とし、成人したのはジョージとニーナの二人だけだった。そして、そのジョージ・ワシントン・ベークランドが、正確に言うと彼の息子と孫が、一家の名を永遠に汚してしまったのである。ジョージと妻のコーネリア・フィッチ・ミドルブルックの間には二人の子供が生まれた。コーネリア・フィッチ・〝ディッキー〟・ベークランドと、ブルックス・ベークランドである。レオの孫にあたるこの二人が生まれたときには、ベークランド家の富と名声は比類ないものとなっていた。ブルックスをよく知る者たちは、彼が傲慢で自信過剰だったと言っている。金がありあまっている家庭に生まれた社交界の名士によくある話だ。ブルックスは、物を書いたことなどほとんどないのに、作家を自称していた。

ブルックスは、姉のコーネリアの紹介で出会ったバーバラ・ダリーという女性と結婚した。彼女は女優志望だったが、執筆活動をしない作家だったブルックス同様、こちらも実際の女優活動はほとんど行っていなかった。しかし、見事な赤毛のとびきりの美人であることは否定しがたかった。モデルとして活躍した時期もあり、『ヴォーグ』や『ハーパーズ・バザー』といったファッション誌のページを飾った。夫婦は贅を尽くした退廃的な生活を送り、世界中のセレブや貴族、特権階級の人々とパーティーに明け暮れた。バーバラはやがて妊娠し、一九四六年八月、第一子のアントニーが生まれた。一家はニューヨーク市のアッパー・イースト・サイドに居を移した。

ゴシップやさまざまなまた聞きレベルの話ではあるが、バーバラは気分の浮き沈みが激しく、奇矯な行動をとることで知られていた。バーバラとブルックスは、ニューヨークでグレタ・ガルボやテネシー・ウィリアムズといった何十人もの富裕な著名人をもてなしたが、バーバラにはアルコール依存症の気味があり、それが彼女の元来の鬱の傾向を悪化させた。バーバラとブルックスはどちらも不倫を繰り返し、夫婦関係はとても順調と言えるものではなかった。あまりに贅を尽くした退廃的な雰囲気のため、周囲の人間も、バーバラの、そして最終的にはアントニーの精神状態の異変に気づくことができなかったのかもしれない。バーバラの失礼で異常とも言える行動も、甘やかされた上流階級育ちのなせるわざだと思われてしまったのだ。しかし、その裏では単なる不作法ではすまされない事態が進行していたのである。

浮気を繰り返していたブルックスは、バーバラに何度も離婚話を持ちかけたが、バーバラは、そんなことをしたら自殺するといって脅し、これを拒否した。この極端な作戦は功を奏し、ブルックスは「婚姻」関係を保ち続けた。一家は、アントニーともども、一九五四年から漂流生活を始め、イタリアやパリ、ロンドンを転々とした。アントニーは寄宿制の学校に送られたが、これは当時の上流階級においては珍しい習慣ではなかった。アントニーは勉強に身が入らず、成績不良のため退学になることが重なり、最後には、自ら学校を飛び出しては母のもとに戻るということが繰り返されるようになった。アントニーは夫婦の目の届かないさまざまな寄宿舎で生活を送っていたわけだが、この時期に夫婦は、アントニーが同性愛者であることに気づいた。この事実はブルックスにとってもバーバラにとっても受け入れがたいものだった。二人は一九六八年についに離婚し、バーバラは思うままの生活が送れるようになった。

バーバラとアントニーの関係は異常に密着したものに変わっていった。バーバラは息子の性的指向のことが頭から離れず、同性愛を「矯正」しようとさまざまなはたらきかけを行ったと言われている。売春婦を雇って息子と関係を持たせようとしたという証言も複数あるが、さらにおそろしいのは、アントニーの性的指向を正そうという決意のあまり、息子と近親相姦の関係に陥った、という話だ。

複雑な近親相姦の問題を別としても、ベークランド家には他にさまざまな厄介ごとがあった。アントニーが精神的に問題を抱えていることは明らかで、発作的に暴力をふるうこともよくあった。母と取っ組み合いのけんかになることも珍しくなく、ナイフが持ち出されることもあったらしい。しばらく深刻な事態には至らなかったが、やがて悲劇が起きる。はっきりした診断記録が残っているわけではないが、バーバラの家系には精神疾患の傾向があったようで、母のニーナ・ダリーは、バーバラが生まれる前に神経衰弱になっていたし、バーバラの父のフランク・ダリーは、一九三六年、バーバラが一〇歳のときに自殺している。アントニーも本来であれば精神科医に診てもらうべきだったのだろうが、父のブルックスは、メンタルヘルスなど「倫理的に問題がある職業分野」だと言って診察代を出そうとしなかった。

アントニーと母の対立は激しさを増し、まず一九七二年七月、ロンドンで大乱闘が行われた。このとき、アントニーは母の髪をつかんで引きずり回し、車の行き交う道路に放り出そうとした。バーバラにとって幸運だったのは、友人のスーザン・ギネスがこの場面を目撃して助けようとしてくれたことだ。警察は殺人未遂の罪でアントニーを逮捕しようとしたが、バーバラは正式に起訴の手続きをとることを拒んだ。

この事件のあと、アントニーはプライオリー精神科病院に入院したが、すぐに退院し、父の反対を押し切って精神科医の診断を受けることになった。この時点では、ブルックスは元妻と息子の人生にかかわることがほとんどなくなっており、相変わらず女遊びを繰り返していた。一九七二年一〇月三〇日、アントニーの精神科医がバーバラに予言めいた警告を伝えた――この医師は、このままだとアントニーに殺される可能性がある、とはっきり口にしたらしい。バーバラはこの警告を無視し、これが彼女にとって命取りとなった。

一九七二年一一月一七日の出来事は、歴史に刻まれることになった。今や五〇歳となったバーバラは、ロンドンのアパートの最上階でくつろいでいた。そこへアントニーがある計画を胸に秘めてやってきた。しばらく前から被害妄想にかられ、現実と幻想の世界の区別もつかなくなっていたアントニーは、キッチン・ナイフを手にして母を突き刺した。バーバラはほぼ即死だった。警察が現場に到着したとき、二六歳のアントニーは電話で中華料理の出前を頼もうとしていたという。

アントニーはバークシャーのブロードモア病院に八年間入院し、一九八〇年七月二一日に退院した。彼の退院をめぐっては、官僚的な手続きミスのために警備が厳重なことで有名なこの精神科病院から出られることになったという説もあれば、裕福で影響力のある友人か家族が手を貸したという話もある。どちらが真実であるにせよ、これが悲劇的な結果を招くことになった。

ブロードモアから釈放されたアントニーは、ニューヨークに移住して母方の祖母ニーナ・ダリーといっしょに住むことになったが、この同居生活はすぐに終わりを迎えた。釈放からわずか六日後にアントニーは再び暴力行為におよび、祖母を襲ったのだ。ニーナ・ダリーは八カ所刺されたうえ、何カ所か骨折もしたが、命は取り留めた。アントニーは犯行動機について、祖母も母と同じように自分を苦しめたのだ、と説明した。アントニーはすぐに逮捕され、ニューヨーク市のライカーズ島に送られた。ここにはニューヨーク市でも最大級の刑務所であるライカーズ刑務所があり、矯正施設や精神科病院も備えていた。

一九八一年三月二〇日、アントニーは祖母を襲った件で法廷に姿を現した。審理が思うように進まなかったため、アントニーは錯乱状態に陥ったと言われている。彼は午後三時三〇分にライカーズ刑務所に戻ってきたが、そこでビニール袋をかぶって自殺を図り、窒息死した。独房で死体が発見されたときには、死後三〇分が経過していた。

現在のベークライト

ベークライトを素材に用いたさまざまな製品は、現代の中古市場でコレクター・アイテムとしてさかんに取引されている。乳幼児用のおもちゃやパイプ、宝石類から、台所用品、はては銃に至るまで、あらゆる製品が収集されている。購入した商品に「ベークライト」のブランド名を刻み直し、宝石類などに加工している人もいる。ベークライト製品の転用は大流行しているのだ。

おもしろいのは、もともとベークライト製品を彩っていた色が、空気に長期間さらされて酸化したために変化していることだ。最も一般的だった茶色の製品は黒くなり、ほかにも、白かった製品が琥珀色を帯びたり、透明だった製品がリンゴジュースのような色になったりしている。アメリカ国旗を模倣して、赤、白、青に彩られていたピンバッジは、赤、黄、黒の三色に変わってしまっている。

二〇〇七年には、バーバラとアントニーの禁断の関係や、アントニーによるバーバラ殺害などのベークランド家をめぐる物語を描いた映画『美しすぎる母』が公開された。バーバラ役にジュリアン・ムーア、アントニー役にエディ・レッドメインを配したこの自主製作映画は、インディペンデント・スピリット賞の脚本賞にノミネートされた。

結論

本書で取り上げたブランドには、一風変わった、そしておそろしい歴史が隠されていたわけだが、創業者や彼らの発明が世界を変えたことはまちがいない。かつて多大な悪影響をおよぼしたことがあるにせよ、完全無欠とは言えないこれらの人物が社会に大きな貢献を果たしたこともまた事実である。人間とは複雑なものだし、人生を白黒で判断することはできない。人生とは大部分が灰色であり、そこが興味深いところなのだ。

たとえば、ヘンリー・フォードは欠点の多い人間で、首をかしげるような社会観の持ち主ではあったが、アメリカ経済と社会への彼の貢献を見過ごすことはできないだろう。自動車産業が数十年にわたってアメリカ経済のバックボーンとなったのは、フォードあってのことである。現在、少なくともアメリカ人の二二人に一人が自動車産業関係の仕事についているが、自動車産業がアメリカを象徴する地位を占めるようになったのは、ひとえにフォードのおかげなのだ。フォードは、手ごろな価格のT型フォードを製造し、日常生活に新たな基準をもたらし、何十というアメリカの都市の成長を促した。フォードが日給五ドルという画期的な高給を設定したことは、労働者階級に新たな基準を提供し、工場で働いたり製造業についたりすることがキャリア選択の一つに数えられるきっかけとなった。

シャネルが育った環境を想像してほしい。貧しい家庭に生まれ、父に捨てられ、気持ちを理解してくれる人もいなかった。女性の地位がきわめて低かった当時の社会では、女性は選挙権もなく、まして起業家として成功するなどほとんど考えられなかった。シャネルはこのような逆境にありながら成功を収め、ファッション界に今もその名をとどめている。シャネルが模造宝飾品を創造して普及させたおかげで、女性は高価な宝石類を所有する必要がなくなった。それほど値の張らない、それでも十分に見栄えのする宝石を毎日好んで身につけることができるようになったのだ。シャネルはまた、ごてごてした衣装や身体の自由を奪うコルセットから女性を解放した。スカート姿で乗馬するのに不便を感じたシャネルは、男性騎乗者のズボンを借りて身につけるというフェミニスト顔負けの行動に出た。当時としては前代未聞の行動だ。女性がズボンをはくのはすぐにふつうのことになった。さらに、多くの女性にとって必需品となったシンプルでエレガントな「リトル・ブラック・ドレス」を普及させた。

これらは、歴史に名を残す重要なブランドの創業者たちが行ったすばらしい貢献のごく一部にすぎない。現代世界では、ブランディングの技術が重要な意味を持つようになった。企業はもちろん、俳優や歌手といった個人もブランド化している。今日見られるこのようなブランド化には、顧客の忠誠心や信頼を得たり、商品の認知度やステータスを上げたり、新たな商品の導入をスムーズにしたり、ブランド資産価値を築いたり、といった利点がある。ブランド資産価値は、製品よりもブランド自体が大きな価値を持っているという考えがあってこそ成立するものである。それによって株も製品も人々にとって魅力あるものとなり、値を上げるのだ。ブランドはまた、製品の質や性能にかかわらず、かっこよくて最新のものを所持していることで、多くの人々にとってステータス・シンボルにもなりうるものである。

歴史上、そして現代においても、知名度を持って立派だと思われているブランドをありのままに見つめることは重要だ。文化にすばらしい貢献を果たした人々は美化されやすい。ハリウッドには、「憧れのヒーローには会わないほうがいい」ということわざがある。完全無欠な人間など存在せず、誰もが失敗を犯すし、他人より大きな失敗を犯す人間もいる。完全無欠でない部分は欠点ととらえられがちだが、それもまた個性の一部をなすものだ。本書の読者のみなさんには、同じあやまちを繰り返さないよう、歴史を忘れてはならないということを心に刻んでほしい。これは常に頭に置いておくべき規則だ。店の棚で、あるいは自宅で、本書に取り上げたブランド製品を目にしたときには、罪悪感や否定的な気持ちを抱くことなくそれらの製品を使用してほしい。ブランド企業が罪を犯したのは遠い過去のことだからだ。しかし、手にした製品の価値とは別に、その歴史を忘れず知識を蓄えることは大事だ。コカ・コーラやコーンフレークは心おきなく口にしてほしいのだが、その際、ためになるエピソードを周囲の人々と共有してみてはどうだろうか。

訳者あとがき

本書は、二〇一七年に刊行された、マット・マクナブの *A Secret History of Brands* の翻訳である。著者のマット・マクナブは、大衆文化の研究家・著作家で、映画やテレビ、漫画、玩具などの研究にたずさわっている。特に『バットマン』の権威として知られ、*Holy Franchise, Batman!* などの書籍の制作に協力し、*Batman's Arsenal: An Unauthorized Encyclopedic Chronicle* というバットマンの百科事典的書籍も執筆している。より一般向けの書籍として、二〇一九年には *Hollywood's Dark History: Silver Screen Scandals* を出版。こちらは、ジーン・ハーロウやメイ・ウエスト、チャールズ・チャップリン、エロール・フリンといったハリウッド初期の有名スターのスキャンダルを追った作品である。

一方で本書は、その題名通り、世界の有名ブランドの裏にひそむ真実を探ったノンフィクションだ。扱われるブランドは九つ（アディダスとプーマを二つと数えれば一〇）で、各ブランドの創業者の生涯やそのブランドの分野の歴史が簡単に語られたあと、きらびやかなイメージに隠れ

て一般にはあまり知られていないと思われる事実が明らかにされる。各章の話題を簡単に紹介すると、

1章　コカ・コーラには創業当初、コカインが混ぜられていた。
2章　ヒューゴ・ボスはナチスの制服を製造し、強制労働も利用していた。
3章　ヘンリー・フォードは筋金入りの反ユダヤ主義者で、ヒトラーにも影響を与えた。
4章　アディダスとプーマは、ナチスの軍靴や武器の製造を行っていたダスラー兄弟商会が分裂してできたものである。
5章　シャネルはナチスの愛人を持っていたばかりか、自らもナチスのスパイであり、実際にスパイとしてイギリスとの和平工作のミッションを任じられていた。
6章　バイエルはかつて子供用の咳止め薬としてヘロインを売っていただけでなく、合同企業IGファルベンとしてアウシュヴィッツの強制収容所にも関与していた。
7章　ケロッグのコーンフレークはもともと、純潔な生活を送ることを信条とするケロッグ博士によって性欲を抑えることを目的とした食品として開発された。
8章　ライフルで有名なウィンチェスター・リピーティング・アームズ社の社長夫人サラは、娘と夫を失ったあと、その悲しみをまぎらわすために現在では「ウィンチェスター・ミ

ステリー・ハウス」と呼ばれる謎めいた大邸宅を建設した。
9章　ベークライトを開発したレオ・ベークランドの孫であるブルックスと結婚したバーバラは、実息子のアントニーと近親相姦の関係に陥ったうえ、彼に殺されるというスキャンダルに見舞われた。

となる。

2〜6章までの5章がナチスに関する話題で、特に6章のバイエルについては現在の会社の態度も含めて厳しい筆致で語られているが、筆者本人が「はじめに」でも述べているように、有名企業の過去の悪事を告発するというより、美化されがちな大企業のあまり知られていない真実を伝えるほうに重きが置かれていると言ってよいだろう。『バットマン』やハリウッドのスキャンダルに関する著書があることからもわかるように、著者の意図はスキャンダラスな面も含めてブランドの真の姿を提示することにある。

各章に割り当てられた限られたページ数のなかで、創業者たちの人生や製品誕生の経緯などの「表向き」の情報はもちろん、語られることの少ないブランドの裏のエピソードや、自動車や銃、プラスチックといった製品の歴史も学ぶことができる。本書を読んで、ブランド品を手にするときに少しでも新鮮な気持ちを持っていただけたなら幸いである。

最後に、本書を翻訳する機会を与えていただき、拙訳を丁寧にチェックしてくださった原書房の相原結城さんに感謝する。

本書の参考文献については、下記の原書房HPにてご覧いただけます。
http://www.harashobo.co.jp/book/b640613.html

著者　マット・マクナブ Matt MacNabb

大衆文化の研究家・著作家。映画やテレビ、漫画、玩具、これらのものが文化におよぼす影響について20年以上研究しており、特に『バットマン』の権威として知られる。『Total Film』『SFX Magazine』『Variety』などの雑誌や、CNN、BBCなどのラジオ番組でも取り上げられ、フリーランス・ライターとして多数の雑誌に寄稿。本書を含め、これまでに*Batman's Arsenal: An Unauthorized Encyclopedic Chronicle*（2016年）、*Hollywood's Dark History: Silver Screen Scandals*（2019年）など6冊の本を出版している。

訳者　阿部将大（あべまさひろ）

1976年生まれ。山口県宇部市出身。大阪大学文学部文学科英米文学専攻卒業。大阪大学大学院文学研究科イギリス文学専攻博士前期課程修了。訳書に、セレン・チャリントン=ホリンズ『世界の奇食の歴史』、ダン・イーガン『肥料争奪戦の時代』（いずれも原書房）がある。

世界の一流ブランド誕生に隠された真実

2024年3月16日　第1刷

著者……………マット・マクナブ
訳者……………阿部将大（あべまさひろ）
ブックデザイン……永井亜矢子（陽々舎）
発行者……………成瀬雅人
発行所……………株式会社原書房
〒160-0022 東京都新宿区新宿1-25-13
電話・代表　03(3354)0685
http://www.harashobo.co.jp/
振替・00150-6-151594
印刷……………新灯印刷株式会社
製本……………東京美術紙工協業組合

ISBN 978-4-562-07403-7 Printed in Japan